ビジネスガイド

上手に時短できる

Excel

仕事の教科書

星 野 悠 貴

 SB Creative

はじめに

この本について

　数あるExcelの解説書の中から、本書を手に取っていただき誠にありがとうございます。本書では、今日からはじめてExcel仕事に携わるという方や、「Excelの知識が不足しているため、作業に時間がかかってしまう」という方に向けて、Excel仕事をすばやく進めていくための基本的な知識を解説しています。

　まずは、本書がどのような本であるか説明していきます。本書のコンセプトは「Excel仕事を効率的に進めるために必要な知識を手軽に学べる」というものになります。それを実現するために、様々な工夫を凝らしています。例えば、1つのテクニックを最短30秒程度で習得できるように、できる限り解説ボリュームを抑えています。

　また、本書はトータルで61項目のテクニックを掲載しています。Excelというアプリケーションを扱ううえで絶対に理解しておかなくてはならない計算方法や機能解説から、短時間で資料を作り、クオリティを上げるテクニックまで、仕事でよく見るシーンを例にして、紹介していきます。

　私は「人は知識やスキルを自分のものにしようとしたとき、インプットだけでは不十分である」と考えています。本書を短時間で読み、その内容を自身の作業の中でアウトプットしてはじめて、あなたはその知識をものにすることができます。しっかりと身に付けた知識は、必要なときにすぐに使うことができ、あなたの悩んだり、考える時間を減らすことでしょう。

Excel仕事をはじめるという方にとって、本書が「仕事を変える1冊」になれば嬉しいです。

仕事の目的

ところで、あなたの仕事の目的はどのようなものでしょうか。この問いを100人に聞けば、100通りの回答があることでしょう。

「企画職として、すばらしい製品やコンテンツを0から生み出す」
「ほどほどの業務をこなし、余暇を過ごすための充分な収入が欲しい」
「人の助けになるような仕事がしたい」

業務時間内でどの作業に時間を割くべきかは、あなたの内にある仕事の目的を考えれば見えてくるのではないでしょうか。ここで私から言えることは、本書で扱っている内容は少なくとも、あなたの仕事の本質ではありません。これはつまりあなたはこの書籍で扱っている内容の作業に時間を取られてはならないということです。

Excelはデータを見えるものにしたり、煩雑な帳簿を管理したりするうえでは必須のアプリケーションです。使い方を知っていればあなたの強い味方になることは間違いないでしょう。ただ、使い方がわからなかったり、曖昧なまま作業を進めたりすると「時間泥棒」にもなってしまいます。予定した作業時間内でExcelを的確に扱えないと後続の作業がすべて遅れてしまい、定時時間内に予定していた作業が終わらないという事態が起きてしまいます。そうならないために、本書でしっかりとExcelを味方につけるための術を身に付けてください。

この本を私が書いた理由

　Excelは非常にたくさんの機能を備えているアプリケーションです。そのため、適切に扱う方法を理解していないと仕事を進めていくことができません。Excel仕事を進めるのにExcelの機能を知らないということは、地図の読み方も知らないまま目的地に歩いて向かうようなものです。

　私は新卒として入社したシステム開発会社にて、Excelを利用してチームの工数であったり、ドキュメントの管理を任されていました。当時、私はExcelの使い方などまったく知らない状態で、作業を行っていました。もちろん決められた期日までに作業は終わらず、残業が常態化する日々を過ごしていました。残業が常態化すると、日々の生活から余裕がなくなり、どんどんと気持ちも沈んでいきました。気持ちが沈んでいくと、仕事のパフォーマンスもさらに低下していくという負のスパイラルに陥ってしまったのです。

　このままではまずいと思い、私はExcelの知識をネットから収集し、Excelへの理解を深めようとしました。しかし、ネットで必要そうな情報を調べてみても、なかなか自分の仕事に落とし込めませんでした。そして、断片的な情報を得るだけでは、根本的な理解不足を解消するには至りませんでした。ネット情報を理解するために、まず必要だったのはExcelの基本的な機能や操作の知識だったのです。

私はそのことに気づくまでに、膨大な時間を浪費してしまいました。これは私にとって非常に苦い記憶です。そこで私は、職場の後輩が経験をしなくて済むようにExcelの基本的な知識をまとめた資料を作成し、配属された新人に配布するようにしました。これが、思いの外、評判になり社内での勉強会で講師を務めるようにまでなりました。

　社内だけでも、ものすごく多くの方が、私の情報を求めているのだから、きっと世の中にはさらに多くのこの情報を欲している人がいるはずだと考えました。それが私がこの本の出版に至った経緯になります。

　私は本書が、Excel仕事をするための知識を最短で手にできる書籍であるということを自負しています。是非、本書を活用しExcel仕事をささっと片付け、生まれた時間を有意義に使ってください。

2023年3月　著者

▶▶ 本書の使い方

　本書は、ビジネスでExcelを効率的に活用するための基本を身につけるための入門書です。
　61のテクニックを順番に行っていくことで、エクセルの基本がしっかり身に付くように
構成されています。

> テクニック
> 本書は5章で構成
> されています。テ
> クニックは1章か
> ら通し番号が振ら
> れています。

Technique ▶ 02   365   2021   2019

▶▶▶ 作りやすい＆見やすい資料作りの基礎

セルに関する操作

　新規のExcelファイルは無数のセルで出来ています。あなたは、このセルを目的に合わせ
てカスタマイズしていくことになります。**セルのカスタマイズの仕方を誤るとあなたが頭
でイメージしている資料を作り上げることは難しいでしょう。**そこで本項では、あなたが
イメージしている資料を作り上げるために、必要なセルの操作について見ていきます。

❶セル操作は ↑→↓← ＋4つのキーで行う

　Excelのセルはマウスのクリックで選択することもできますが、↑→↓← でセルの選択
を移動させることができます。これにより、いちいちマウスに持ち替えなくても、キー
ボード上でセルの移動が簡単に行うことができます。

　↑→↓← を押すことで、それに
対応する方向へセルの選択を移動さ
せることができます。

> さらなる時短ワザ
> 時短のためのテク
> ニックやショート
> カットキーを紹介
> しています。

🕐 さらなる時短ワザ

セルに文字を入力して Enter
を押すと、通常ではセルの選
択が下へ移動します。しかし、
文字の入力後に Tab を押すと
右へ、Shift + Tab で左へ移動
することができます。

上端に移動

100	1,794,000
000	8,236,000
000	398,000	⋯➔
000	3,572,000
000	518,000

左端に移動　　　　　　　　　右端に移動

下端に移動

Tips　↑→↓← を押すと画面がスクロールされてしまう

Excel操作の途中で、↑→↓← を押すと画面がスクロールされてしまう場合があります。そ
の場合、Scroll Lock を押してしまっている可能性があるので、再度押すと直ります。なおノートパ
ソコンでは、Scroll Lock が無い場合があります。このときは Fn + C もしくは Fn + K 、Fn + S で
直ります（使っているパソコンによってキー操作が異なる場合があります）。

028

読みやすい！	書籍全体にわたって、読みやすい、太く、大きな文字を使っています。
安心！	1つ1つの手順を全部掲載。初心者がつまずきがちな落とし穴も丁寧にフォローしています。
役立つ！	多くの人がやりたいことを徹底的に研究して、仕事に役立つ内容に仕上げています。

表の先頭・末尾まで一気に移動する

表を作成した際に、表の先頭から末尾まで一気に移動するのに、何度も ↑→↓← を押していたのでは時間の無駄になってしまいます。ショートカットキーを使うことで、一気に先頭・末尾まで移動することができるので、活用しましょう。

第1四半期	第2四半期	合計
14,388,800	12,949,000	27,337,800
3,258,900	2,933,000	6,191,900
537,200	483,500	1,020,700
1,994,100	1,794,000	3,788,100
9,152,000	8,236,000	17,388,000
442,000	398,000	840,000
3,968,000	3,572,000	7,540,000
576,000	518,000	1,094,000
5,284,000	4,756,000	10,040,000
6,490,000	5,841,000	12,331,000
5,494,500	4,945,000	10,439,500
51,585,500	46,425,500	98,011,000

❶表のセルの選択した状態で、Ctrl + ↓ を押します。

第1四半期	第2四半期	合計
14,388,800	12,949,000	27,337,800
3,258,900	2,933,000	6,191,900
537,200	483,500	1,020,700
1,994,100	1,794,000	3,788,100
9,152,000	8,236,000	17,388,000
442,000	398,000	840,000
3,968,000	3,572,000	7,540,000
576,000	518,000	1,094,000
5,284,000	4,756,000	10,040,000
6,490,000	5,841,000	12,331,000
5,494,500	4,945,000	10,439,500
51,585,500	46,425,500	98,011,000

❷表の末尾まで移動することができます。

Ctrl と ↑→↓← の組み合わせ方で、その方向に対する先頭・末尾に移動することができます。なお、入力されていないセルには移動することができません。

Tips A1のセルに一気に戻す

セルの一番左上のA1に戻りたい場合は、Ctrl + Home を押しましょう。一気にA1に移動することができます。ファイルを保存する際は可能な限り、A1のセルを選択した状態にすると、次回の作業がスムーズに開始することができます。

029

手順
テクニックで行う操作手順を示しています。画面と右の説明を見ながら、実際に操作を行ってください。

Tips
さらに1ランク上を目指すためのテクニックを紹介しています。

▶▶ 目次 contents

第1章
仕事の効率がグッと上がる！　9の基本

第2章
Excel への理解が仕事のスピードアップを生む

第 **3** 章

計算ソフトの本領発揮！
よく使う関数と機能をおさえよう！

▶▶ **目次** contents

第 **4** 章

速くキレイに仕上げる資料、グラフ作成術

第**5**章

便利機能・テクニック集

Ctrl と組み合わせる ショートカットキー

ショートカットキーは複数のキーを組み合わせるものも多く、とりわけ Ctrl キーは頻繁に登場します。
ここでは Ctrl キーと一緒に使えるショートカットキーをまとめて紹介します。

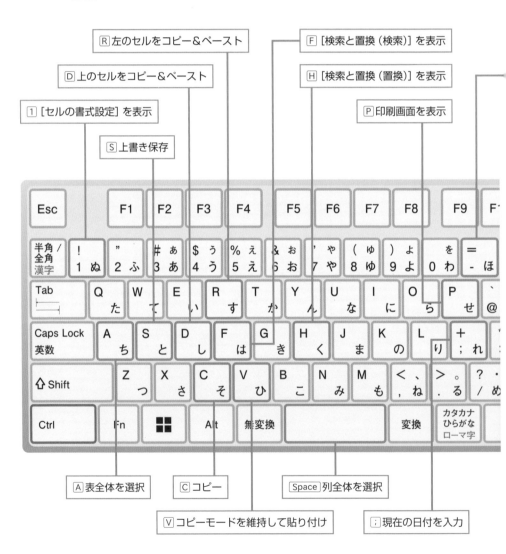

R 左のセルをコピー&ペースト

D 上のセルをコピー&ペースト

1 [セルの書式設定] を表示

S 上書き保存

F [検索と置換 (検索)] を表示

H [検索と置換 (置換)] を表示

P 印刷画面を表示

A 表全体を選択

C コピー

Space 列全体を選択

V コピーモードを維持して貼り付け

; 現在の日付を入力

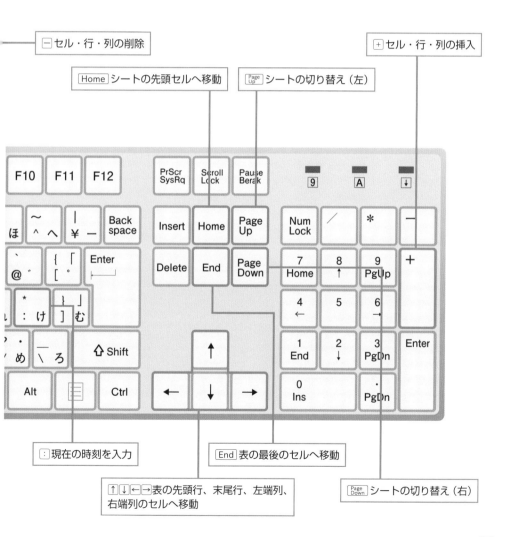

□ セル・行・列の削除

Home シートの先頭セルへ移動

Page Up シートの切り替え（左）

＋ セル・行・列の挿入

: 現在の時刻を入力

End 表の最後のセルへ移動

↑↓←→ 表の先頭行、末尾行、左端列、右端列のセルへ移動

Page Down シートの切り替え（右）

Excelとは

❶ Excelとは

　Excelとは、Microsoftが開発している「表計算」が行えるアプリケーションのことです。セルと呼ばれる囲みの中に文字や数値などのデータを入力して、表の作成、計算、グラフの作成などを行うことができます。

　Excelのセルは、方眼紙のような見た目をしています。セルを利用すれば、簡単に見栄えのよい表を作成することができます。また、セルに数値を入力すれば、様々な計算を手早く簡単に行うことができます。

　本書では、Excelの基本操作から、仕事で使える便利技、関数やグラフのテクニックなど、様々な場面で活用できる機能を紹介します。

❷Excelでできること

表の作成

Excelでは売り上げ表や名簿などの表を作成することができます。表を作成後は、並び替えたりフィルターで必要なデータだけを抜き出したりすることができ、ほかにも一定の条件のセルのみ色を付けたりするといったこともできます。

関数での計算

Excelでの大きな機能の1つとして関数があります。本書ではビジネスで頻繁に使う関数に絞って、使い方や簡単な例を紹介しています。

グラフの作成

表や関数で作成したデータをグラフにすることで、数値の推移を可視化することができます。グラフには様々な種類があり、データによって使い分けることができます。

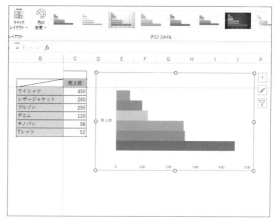

Excelの画面

❶Excelの画面構成

Excelの表計算の画面を確認しましょう。Excelでは通常、画面上部にツールバーなどの機能があり、画面下部に表計算ができるシートが表示されます。

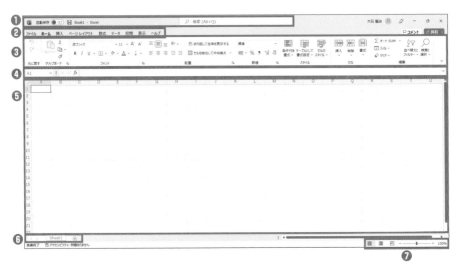

❶	クイックアクセスツールバーです。通常では上書き保存のアイコンと自動保存のボタンが配置されています。	❺	計算や表の作成を実際に行うワークシートです。ワークシートにはセルが表示されています。
❷	タブです。タブをクリックして切り替えることで、その下のリボンを変更することができます。	❻	現在作成されているワークシートが表示されています。ワークシートをクリックして切り替えることができます。
❸	リボンです。その上のタブに対応する機能が表示されており、さらにグループごとに分けられています。	❼	画面の表示方法や、拡大・縮小を切り替えることができます。
❹	左の欄の数字とアルファベットは、現在選択されているセルを表しています。右の欄には、選択したセルに入力されているデータが表示されます。		

Office 2021 と Microsoft 365 の違い

❶ Office 2021

　家電量販店やインターネットの通販サイトで購入ができるパッケージ版からは、「Excel 2021」をインストールすることができます（本書ではこの2021版で解説しています）。パッケージ版は一度買えば永久に使い続けることができます。

　購入後はパッケージに記載されている方法でパソコンにインストールしてから、ライセンス認証を行います。

❷ Microsoft 365

　Microsoftの公式ホームページから契約することのできるサブスクリプション版からは、「Microsoft 365」をインストールすることができます（この中にExcelが含まれています）。

　サブスクリプションとは、月額もしくは年額を支払うことで、そのアプリやサービスを利用できる定額制のサービスです。契約を解除するとそのアプリやサービスを使うことができなくなります。

　契約後は画面の指示に従ってパソコンにMicrosoft 365をインストールします。

本書に関するお問い合わせ

　この度は小社書籍をご購入いただき誠にありがとうございます。小社では本書の内容に関するご質問を受け付けております。本書を読み進めていただきます中でご不明な箇所がございましたらお問い合わせください。なお、ご質問の前に小社Webサイトで「正誤表」をご確認ください。最新の正誤情報を下記Webページに掲載しております。

本書サポートページ

https://isbn2.sbcr.jp/19015/

上記ページの「サポート情報」をクリックし、「正誤情報」のリンクからご確認ください。
なお、正誤情報がない場合は、リンクは用意されていません。

ご質問送付先
ご質問については下記のいずれかの方法をご利用ください。

Webページより
上記サポートページ内にある「お問い合わせ」をクリックしていただき、メールフォームの要綱に従ってご質問をご記入の上、送信してください。

郵送
郵送の場合は下記までお願いいたします。
　〒106-0032
　東京都港区六本木2-4-5
　SBクリエイティブ 読者サポート係

■本書内に記載されている会社名、商品名、製品名などは一般に各社の登録商標または商標です。本書中では©、™マークは明記しておりません。
■本書の出版にあたっては正確な記述に努めましたが、本書の内容に基づく運用結果について、著者およびSBクリエイティブ株式会社は一切の責任を負いかねますのでご了承ください。

第 1 章

仕事の効率がグッと上がる！
9の基本

基本に立ち返るという大切さ

　本章では、「Excelにデータを入力したり、消したり」、「セルの扱い方」といったExcelの超基本的な事項を見ていきます。Excelをなんとなく使っている方は、本章をパラパラと眺めて「理解できていなかったかも」というものがあったら、まずはその項目から読んでみてください。そうすることで、ものの数分で断片的な理解だった知識が整理されると思います。

　また、自己流でExcelを扱っている方も、この第1章を読むことで「こういう方法もあったのか」や「この機能に関しては、非効率な使い方をしてたな」という気付きがあるかもしれません。

　仕事だけではなく、**何事も基本に立ち返ることは大切です。基本に立ち返ることで、わかっているつもりだったことや、知らなかった新たな発見が見えてきます。**これはあなたが、自身のスキルをアップしていくうえで、非常に大切なことだと筆者は考えています。

　上記を念頭に置いて、早速Excelの超基本事項について見ていきましょう。

▶▶正確かつ効率的なExcelエディタースキルを身につけよう！

Excelでの文字や数値を入力する

Excelを使用していると、様々なデータを入力する場面に出会います。入力するデータの中でも**日本語や英語といった文字列は数字を入力するよりも手間がかかり、間違いも多くなります。**また、数値の入力は計算元のデータが誤っていると計算結果など全てが誤った数値になり得ます。どんなに早く作業を行っていても、資料の中身が伴わなければ意味がありません。そこで、本項では文字列・数値の入力・編集・修正を正確かつ、効率的に進めていくための、基本について見ていきます。

❶文字を入力する

Excelのセルに文字を入力する前に、まずは**[入力モード]**について確認をしましょう。入力モードを変更することで、日本語入力のオンオフを切り替えることができます。文字を入力するには日本語入力をオンにしましょう。なお、**切り替えるにはキーボードの[半角/全角]を押します。**

日本語入力オン

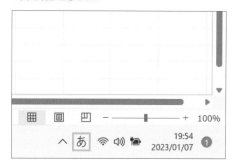

入力モードがあになっている場合は、日本語が入力できます。

日本語入力オフ

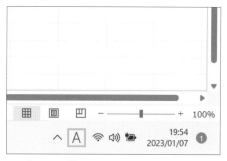

入力モードがＡになっている場合は、数字やアルファベットが入力できます。

Tips   クリックでオンオフを切り替える

タスクバーの入力モードをクリックすることでも日本語入力のオンオフを切り替えることができます。

入力モードを確認したら文字を入力していきましょう。通常の場合、文字はローマ字で入力していきます。

文字をローマ字で入力します。ここでは、「めいぼ」と入力しています。

かな入力

タスクバーの右下にある入力モードを右クリックし、[かな入力 (オフ)] をクリックすると、かな入力で入力することもできます。かな入力はキーボードのキーの右下にあるひらがなで入力されるモードです。

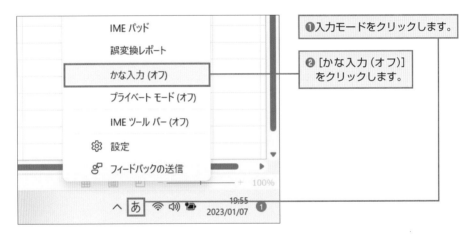

❶入力モードをクリックします。

❷[かな入力 (オフ)] をクリックします。

Tips	セル内で改行する

セルに文字を入力している途中で改行が必要になった場合、[Alt] + [Enter] を押すことで改行することができます。

❷数値を入力する

次に数値を入力しましょう。数値を入力するには日本語入力をオフにします。数字は基本的に半角で入力しましょう。**半角で入力しないと、数式や関数を使用する際に認識されない場合があります。**

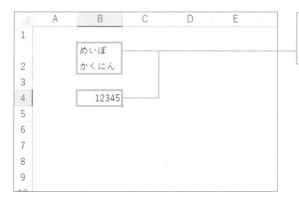

数字を入力します。文字ではセルの左寄せで入力されましたが、数字は右寄せで入力されます。

なお、日本語入力がオフの場合はアルファベットを半角で入力することもできます。**アルファベットを全角で入力したい場合は、日本語入力をオンにした状態で Shift ＋ 無変換 を押しましょう。** 半角に戻す場合は同じ操作で戻ります。

Tips 文字を検索する

たくさんのセルの中から特定の文字を検索したい場合は、[ホーム] タブの [編集] グループの [検索と選択] をクリックし、[検索] をクリックします。検索したい文字を入力し、[すべて検索] または [次を検索] をクリックしましょう。

Tips 文字を置換する

たくさんのセルの中から特定の文字を一括で置換したい場合は、[ホーム] タブの [編集] グループの [検索と選択] をクリックし、[置換] をクリックします。検索したい文字を入力し、置換したい文字を入力して、[すべて置換] をクリックしましょう。

❸文字を編集する

　セル内の文字を編集する場合は、セル内にカーソルを入れ込む必要があります。その場合はセルをダブルクリックする必要がありますが、セルの上下左右の端をダブルクリックすると、その行と列の端のデータにジャンプしてしまうため注意が必要です。

第1四半期	第2四半期	合計
14,388,800	12,949,000	27,337,800
3,258,900	2,933,000	6,191,900
537,200	483,500	1,020,700
1,994,100	1,794,000	3,788,100
9,152,000	8,236,000	17,388,000
442,000	398,000	840,000
3,968,000	3,572,000	7,540,000
576,000	518,000	1,094,000
5,284,000	4,756,000	10,040,000

⬇

第1四半期	第2四半期	合計
14,388,800	12,949,000	27,337,800
3,258,900	2,933,000	6,191,900
537,200	483,500	1,020,700
1,994,100	1,794,000	3,788,100
9,152,000	8,236,000	17,388,000
442,000	398,000	840,000
3,968,000	3,572,000	7,540,000
576,000	518,000	1,094,000
5,284,000	4,756,000	10,040,000

上端に移動

,200	483,500
,100	1,794,000
,000	8,236,000
,000	398,000
,000	3,572,000

左端に移動　　右端に移動

下端に移動

　なお、セルを選択した状態でキーボードの F2 を押すと、そのセル内にカーソルを入れ込むことができるので、マウスを使わずにセルの文字を編集することができます。

537,200	483,500	1,020
1,994,100	1,794,000	3,788
9,152,000	8,236,000	17,388
442,000	398000	840
3,968,000	3,572,000	7,540
576,000	518,000	1,094
5,284,000	4,756,000	10,040

Tips	ショートカットキーでセルの文字を編集する

キーボードの F2 を押すと、セル内にカーソルを入れ込むことができ、文字の編集を簡単に行うことができます。

❹入力を元に戻す

　入力したデータに間違いがあった場合、セルの内容を削除するのではなく、入力を元に戻しましょう。**「元に戻す」とは、直前の操作を取り消す操作のことです。**

　［ホーム］タブの［元に戻す］グループの↺をクリックすると、操作を元に戻せます。

> **Tips　ショートカットキーで入力を元に戻す**
>
> キーボードの [Ctrl] + [Z] を押すことでも元に戻すことができます。こちらの方が、マウスに持ち替える必要がなく簡単です。

入力をやりなおす

　元に戻した操作を再度、戻す前の状態にやりなおすこともできます。**「やりなおす」とは、直前の「元に戻す」操作を取り消す操作のことです。**

　［ホーム］タブの［元に戻す］グループの↻をクリックすると、操作をやりなおせます。

> **Tips　ショートカットキーで入力をやりなおす**
>
> キーボードの [Ctrl] + [Y] を押すことでもやりなおすことができます。こちらの方が、マウスに持ち替える必要がなく簡単です。

❺文字を削除する

セル内の文字を削除する場合は、セルを選択した状態で Delete を押すのではなく、セル内にカーソルを入れ込み、削除したい文字に合わせてから Delete を押しましょう。

セルを選択した状態で Delete を押すと、セル内の文字のすべてが削除されてしまいます。

	商品名	第1四半期	第2四半期
3	商品名	第1四半期	第2四半期
4	ゴルフクラブ	14,388,800	12,949,000
5	ゴルフシューズ	3,258,900	2,933,000
6	ゴルフボール	537,200	483,500
7	スキーブーツ	1,994,100	1,794,000
8	スキー板	9,152,000	8,236,000
9	テニスボール	442,000	398,000
10	テニスラケット	3,968,000	3,572,000
11	トレーナー		518,000
12	バット(金属製)	5,284,000	4,756,000
13	バット(木製)	6,490,000	5,841,000
14	野球グローブ	5,494,500	4,945,000
15	合計	51,009,500	46,425,500
16			

セル内にカーソルを入れ込んでから、削除したい文字に合わせ、 Delete を押して文字を削除しましょう。

	商品名	第1四半期	第2四半期
3	商品名	第1四半期	第2四半期
4	ゴルフクラブ	14,388,800	12,949,000
5	ゴルフシューズ	3,258,900	2,933,000
6	ゴルフボール	537,200	483,500
7	スキーブーツ	1,994,100	1,794,000
8	スキー板	9,152,000	8,236,000
9	テニスボール	442,000	398,000
10	テニスラケット	3,968,000	3,572,000
11	トレーナー	5760	518,000
12	バット(金属製)	5,284,000	4,756,000
13	バット(木製)	6,490,000	5,841,000
14	野球グローブ	5,494,500	4,945,000
15	合計	51,585,500	46,425,500
16			

Tips Back space で削除する

文字は Delete だけでなく Back space で削除することもできます。

Tips Delete と Back space の違い

Delete はカーソルの右側の文字を、Back space はカーソルの左側の文字を削除します。状況によって使い分けをしましょう。

❻文字を変換する

　文字を入力しただけでは、ひらがなしか入力されません。漢字やカタカナに変換したい場合は、変換を押しましょう。

　変換を押すと変換候補が出てきます。変換したい候補をクリックするか、左の数字と同じキーを押しましょう。

13	バット（木製）	6,490,000	5,841,000
14	野球グローブ		4,945,000
		,585,500	46,425,500

1 野球

2 ⚾ 　環境依存

3 箭弓

4 夜久

5 やきゅう

6 ヤキュウ

▲　▼　　　　　🔀 💟

　変換後はEnterを押して入力を確定させます。

11	トレーナー	576,000
12	バット（金属製）	5,284,000
13	バット（木製）	6,490,000
14	野球グローブ	
15	合計	51,585,500
16		
17		
18		

　なお、変換のほかにSpaceを押すことでも変換することが可能です。

Tips　ファンクションキーで変換する

文字を変換する際に、変換またはSpaceではなくファンクションキーを押すと、カタカナやアルファベットに変換することができます。F7で全角カタカナ、F8で半角カタカナ、F9で全角小文字アルファベット、F10で半角小文字に変換されます。なお、F9とF10は何回か押すと、大文字のアルファベットに変換することもできます。

F6 〜 F10

▶▶ **作りやすい＆見やすい資料作りの基礎**

セルに関する操作

　新規のExcelファイルは無数のセルで出来ています。あなたは、このセルを目的に合わせてカスタマイズしていくことになります。**セルのカスタマイズの仕方を誤るとあなたが頭でイメージしている資料を作り上げることは難しい**でしょう。そこで本項では、あなたがイメージしている資料を作り上げるために、必要なセルの操作について見ていきます。

❶セル操作は ↑ → ↓ ← ＋４つのキーで行う

　Excelのセルはマウスのクリックで選択することもできますが、↑ → ↓ ← でセルの選択を移動させることができます。これにより、いちいちマウスに持ち替えなくても、キーボード上でセルの移動が簡単に行うことができます。

　↑ → ↓ ← を押すことで、それに対応する方向へセルの選択を移動させることができます。

🕐さらなる時短ワザ

セルに文字を入力して Enter を押すと、通常ではセルの選択は下へ移動します。しかし、文字の入力後に Tab を押すと右へ、 Shift + Tab で左へ移動することができます。

上端に移動

100	1,794,000	
000	8,236,000	
000	398,000	···▷
000	3,572,000	
000	518,000	

左端に移動　　　　右端に移動

下端に移動

Tips	↑ → ↓ ← を押すと画面がスクロールされてしまう

Excel操作の途中で、↑ → ↓ ← を押すと画面がスクロールされてしまう場合があります。その場合、 Scroll Lock を押してしまっている可能性があるので、再度押すと直ります。なおノートパソコンでは、 Scroll Lock が無い場合があります。このときは Fn + C もしくは Fn + K 、 Fn + S で直ります（使っているパソコンによってキー操作が異なる場合があります）。

表の先頭・末尾まで一気に移動する

　表を作成した際に、表の先頭から末尾まで一気に移動するのに、何度も ↑→↓← を押していたのでは時間の無駄になってしまいます。ショートカットキーを使うことで、一気に先頭・末尾まで移動することができるので、活用しましょう。

第1四半期	第2四半期	合計
14,388,800	12,949,000	27,337,800
3,258,900	2,933,000	6,191,900
537,200	483,500	1,020,700
1,994,100	1,794,000	3,788,100
9,152,000	8,236,000	17,388,000
442,000	398,000	840,000
3,968,000	3,572,000	7,540,000
576,000	518,000	1,094,000
5,284,000	4,756,000	10,040,000
6,490,000	5,841,000	12,331,000
5,494,500	4,945,000	10,439,500
51,585,500	46,425,500	98,011,000

❶表のセルの選択した状態で、Ctrl + ↓ を押します。

第1四半期	第2四半期	合計
14,388,800	12,949,000	27,337,800
3,258,900	2,933,000	6,191,900
537,200	483,500	1,020,700
1,994,100	1,794,000	3,788,100
9,152,000	8,236,000	17,388,000
442,000	398,000	840,000
3,968,000	3,572,000	7,540,000
576,000	518,000	1,094,000
5,284,000	4,756,000	10,040,000
6,490,000	5,841,000	12,331,000
5,494,500	4,945,000	10,439,500
51,585,500	46,425,500	98,011,000

❷表の末尾まで移動することができます。

　Ctrl と ↑→↓← の組み合わせ方で、その方向に対する先頭・末尾に移動することができます。なお、入力されていないセルには移動することができません。

Tips　A1のセルに一気に戻す

セルの一番左上のA1に戻りたい場合は、Ctrl + Home を押しましょう。一気にA1に移動することができます。ファイルを保存する際は可能な限り、A1のセルを選択した状態にすると、次回の作業がスムーズに開始することができます。

❷セルを複数選択する

マウスのクリックや ↑→↓← のみでは、セルは1つしか選択することができません。マウスの場合はドラッグ、キーボードの場合は Shift + ↑→↓← で複数のセルを同時に選択することができます。

3	商品名	第1四半期	第2四半期	合計
4	ゴルフクラブ	14,388,800	12,949,000	27,337,800
5	ゴルフシューズ	3,258,900	2,933,000	6,191,900
6	ゴルフボール	537,200	483,500	1,020,700
7	スキーブーツ	1,994,100	1,794,000	3,788,100
8	スキー板	9,152,000	8,236,000	17,388,000
9	テニスボール	442,000	398,000	840,000
10	テニスラケット	3,968,000	3,572,000	7,540,000
11	トレーナー	576,000	518,000	1,094,000
12	バット(金属製)	5,284,000	4,756,000	10,040,000
13	バット(木製)	6,490,000	5,841,000	12,331,000
14	野球グローブ	5,494,500	4,945,000	10,439,500
15	合計	51,585,500	46,425,500	98,011,000

❶表のセルを選択した状態で、マウスを選択したい方向へドラッグします。

3	商品名	第1四半期	第2四半期	合計
4	ゴルフクラブ	14,388,800	12,949,000	27,337,800
5	ゴルフシューズ	3,258,900	2,933,000	6,191,900
6	ゴルフボール	537,200	483,500	1,020,700
7	スキーブーツ	1,994,100	1,794,000	3,788,100
8	スキー板	9,152,000	8,236,000	17,388,000
9	テニスボール	442,000	398,000	840,000
10	テニスラケット	3,968,000	3,572,000	7,540,000
11	トレーナー	576,000	518,000	1,094,000
12	バット(金属製)	5,284,000	4,756,000	10,040,000
13	バット(木製)	6,490,000	5,841,000	12,331,000
14	野球グローブ	5,494,500	4,945,000	10,439,500
15	合計	51,585,500	46,425,500	98,011,000

❷ドラッグした位置までのセルを同時に選択することができます。

Shift + ↑→↓← の場合は、選択したセルから押した ↑→↓← の方向へセルの選択を増やすことができます。

品名	第1四半期	第2四半期
クラブ	14,388,800	12,949,000
シューズ	3,258,900	2,933,000
ボール	537,200	483,500
ブーツ	1,994,100	1,794,000
板	9,152,000	8,236,000
ボール	442,000	398,000
ラケット	3,968,000	3,572,000
ナー	576,000	518,000
(金属製)	5,284,000	4,756,000

Tips Ctrl + Shift + ↑→↓← の組み合わせ

前項で Ctrl + ↑→↓← で一気に先頭・末尾まで選択できると紹介しました。ここに Shift が加わることで、選択されているセルから押した ↑→↓← の方向の先頭・末尾のセルまで一気に選択することができます。

行・列をまとめて選択する

行をまとめて選択する場合は、[Shift] + [Space]を同時に押します。また、行の左端の数字をクリックすることでも選択されます。

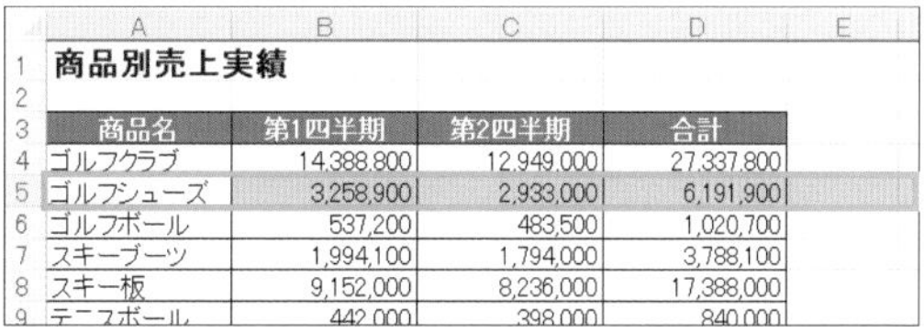

列をまとめて選択する場合は、[Ctrl] + [Space]を同時に押します。また、列の上端のアルファベットをクリックすることでも選択されます。

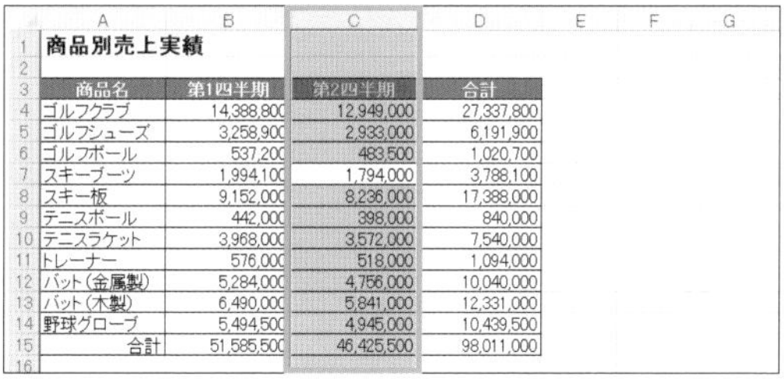

Tips 行・列を選択した状態で [Shift] + [↑][→][↓][←] を押す

行・列を選択した状態で [Shift] + [↑][→][↓][←]を押すとその方向へ選択範囲を拡張することができます。

---

❸セルを全選択する

Excelのセル全体の書式を一気に変えたいときなど、すべてのセルを一気に選択するショートカットキーを使うと便利です。

[Ctrl] + [A]を押すと、表全体のセルが選択されます。

この状態で再度[Ctrl] + [A]を押すと、シート全体のセルが選択されます。

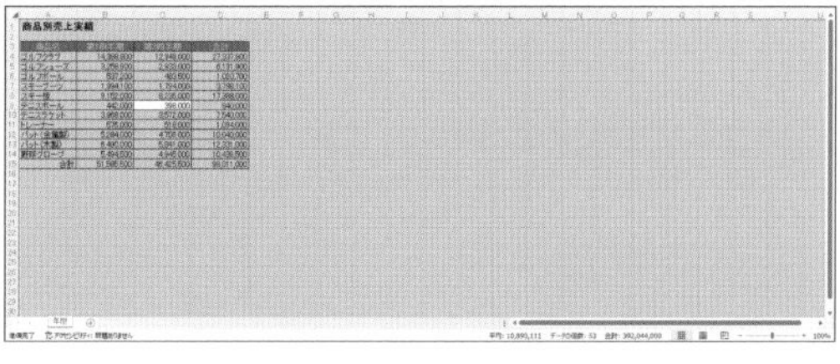

❹セルのコピー・貼り付けをする

同じ内容のセルを複製したい場合は、**コピーと貼り付け**を使いましょう。コピーと貼り付けは [ホーム] タブの [クリップボード] グループからでも行えますが、ショートカットキー (ペースト) を使うとすぐにコピー・貼り付け (ペースト) ができます。

名前	入会日	クラス	年齢	チケット枚数	チ 金額
恵美子	4/2	初級	62	20	
一夫	4/2	中級	24	20	
桂子	4/2		48	15	
保美	4/4	初級	22	10	
かな	4/7	上級	59	16	
小夜子	4/7		38	10	

❶コピーしたいセルを選択した状態で、[Ctrl] + [C] を押します。

名前	入会日	クラス	年齢	チケット枚数	チ 金額
恵美子	4/2	初級	62	20	
一夫	4/2	中級	24	20	
桂子	4/2	中級	48	15	
保美	4/4	初級		10	
かな	4/7	上級	59	16	
小夜子	4/7		38	10	

❷貼り付けたいセルを選択した状態で、[Ctrl] + [V] を押すと貼り付けが完了します。

複数のセルを選択した状態でコピー・貼り付けを行うこともできます。前項のセルの選択と組み合わせて使うとよいでしょう。

| Tips | メニューからコピー・貼り付けをする |

コピーしたいセルを選択した状態で、[ホーム] タブの [クリップボード] グループの 📋 をクリックします。貼り付けたいセルを選択し、コピーしたいセルを選択した状態で、[ホーム] タブの [クリップボード] グループの [貼り付け] をクリックします。

❺貼り付けオプションを使いこなす

　セルをコピーした際に、書式のみや文字のみを貼り付けたい場合もあるでしょう。その場合は、貼り付けをしたあとに、表示される**貼り付けオプション**を使うと便利です。ここでは主要なオプションに絞って紹介します。

①貼り付け

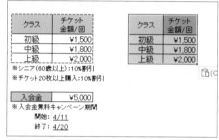

　通常の貼り付けです。なお、行と列の幅は貼り付けされません。

②数式の貼り付け

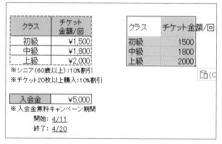

　コピー元のセルに数式が入力されている場合、その数式を貼り付けます。書式はコピーされません。

③罫線なし

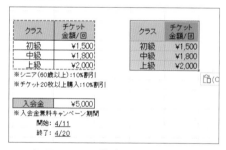

　コピー元のセルに罫線が設定されている場合、罫線は貼り付けません。

⑤値

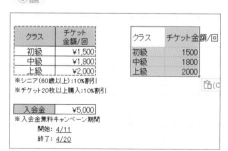

　コピー元のセルに数式が入力されている場合、その数式の結果を値として貼り付けます。

⑤書式設定

　コピー元のセルの書式のみ貼り付けます。入力されている内容は貼り付けません。

1

仕事の効率がグッと上がる！　9の基本

033

▶▶ フォーマットに合わせた表示形式で年月日時を入力！

年月日時を入力する

　資料の形態によって、入力するべき年月日時の表示形式は異なります。たとえば、あなたが今抱えている案件が年単位の物であれば、**年／月／日**で表示しなくてはなりません。逆に、週次で管理する資料には、曜日を入れなくてはなりません。このように、ケース応じて日付を柔軟に変更する方法を見ていきます。

❶自動更新される今日の日付を入力する

　本日の日付を入力する場合、日付が変わるたびに、いちいち入力し直すことは非常に面倒です。**そこで自動で更新される日付を関数を使って入力しましょう。**なお、関数については3章（P.87）を参照してください。表示形式については、P.40を参照してください。

=TODAY ()

	∨	⋮	× ✓	f_x	=TODAY()	
	A	B		C	D	E
		2023/1/9				

Tips ｜ 曜日の入力

上記の関数では曜日までは自動で入力されません。曜日も合わせて自動更新で表示させたい場合は、**TEXT**関数を使います。値には**TODAY**関数を入れたセルを参照します。表示形式には「aaa」と入れると「日」のように短く、「aaaa」と入れると「日曜日」のように長く表示されます。

=TEXT(値 ," 表示形式 ")

❷自動更新される現在の時間を入力する

　現在の時間を入力する場合も関数を使いましょう。

=NOW ()

▶▶ 手動厳禁！　連続データを自動で入力！！

オートフィルで入力する

たとえば5、10、15と並ぶ規則的な連続データがあったとします。これを100まで規則的に入力しようとすると、数字の抜けや間違いが出たりするでしょう。また、当初は100まで入力すれば済んだものが、1000まで入力しなくてはならなくなる場合もあるでしょう。そんな時に活躍するのが**オートフィル**です。

❶オートフィルで入力する

オートフィルを利用すると、連続する数値以外にも同じ数値を入力するときや、カレンダーの曜日を入力する際も非常に重宝します。オートフィルを利用するには、セルを選択した際に表示される右下のハンドルを下方向か右方向へドラッグするか、ダブルクリックします。

同じ数値の入力

数字を1つしか入力してない場合、オートフィルをすると同じ数字でコピーされます。

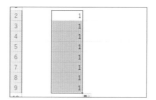

連続する数値の入力

数字を2つ以上入力している場合、その数字の関係性でコピーされます。1,2と入力されている場合は、1,2,3,4,5,6…と入力されます。

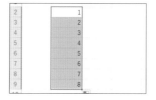

連続する曜日の入力

曜日の場合は、月〜日の間でどれか1つ入力されている状態でオートフィルを行います。すると、自動でカレンダーのように入力され、7つの曜日でループされます。

▶▶ おせっかい機能として有名なオートコンプリートを知ろう！

オートコンプリートで入力する

オートコンプリートとは自動補完という意味です。このオートコンプリートという機能は過去の入力したデータなどを自動で補完する機能になります。**この機能は使用するケースによっては、余計な機能と感じることがあります。**オートコンプリートを理解して、ケースごとに設定をオンオフしましょう！

❶オートコンプリートで入力する

同じ列に同じ文字を入力する場合、入力途中で以前に入力したことがある文字が入力候補に表示される機能です。たとえば「東京都」と同じ列に入力していた場合、次の行に入力する際は「と」と入力した段階で、変換候補に「東京都」と表示されます。あとは変換候補から選択するだけで残りの文字もすべて自動で入力されます。なお、この機能は同じ列に入力する場合のみ対応しており、同じ行に入力する場合には対応していません。

同じ列に同じ文字を入力する場合、入力途中で以前に入力した文字列が入力候補に表示されます。

| Tips | オートコンプリートの無効方法 |

オートコンプリートを無効にしたい場合は、[ファイル] タブから [オプション] → 「詳細設定」をクリックして、[オートコンプリートを使用する] のチェックを外しましょう。

▶ ▶ 状況に合わせて表示形式を揃えて見やすさUP！

セルの書式を変更する

　数値を資料に入れようとしたとき、整数のみの表示だと情報が足りない場合があります。また、小数ではなく％で入力する場合、その逆の場合など状況に応じて表示形式の設定の変更が求められます。そこで本項では、**表示形式の効率的な変更方法**について見ていきます。

❶書式を変更する

　まずは、セルの文字に対する装飾の書式を見ていきましょう。装飾の書式については［ホーム］タブの［フォント］グループから入力するか、セルを右クリックした際に出るメニューから設定することができます。

フォントグループ

　次にセル内の文字の位置に対する書式と、表示される数値に対する書式を見ていきましょう。［ホーム］タブの［配置］グループと、［数値］グループから設定することができます。なお、数値に対する書式はP.40の表示形式の変更から細かく設定を行うことができます。

　次のページから、詳しい書式の内容とショートカットキーでの設定を確認します。

　書式を設定した例を紹介します。なお、ここで紹介した以外にも書式の設定方法は多数
あります。

フォント

フォントサイズ

文字の色

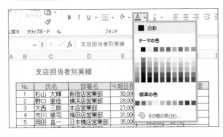

セルの色

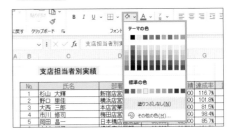

太字

斜体

下線

罫線

折り返して全体を表示

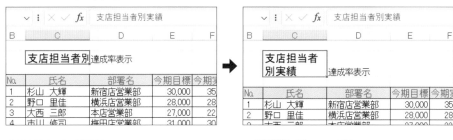

桁区切りスタイル

パーセントスタイル

　書式に対するショートカットキーを紹介します。グループからクリックするより早く設定が可能なので、慣れてきたらショートカットキーを使うことを意識しましょう。

Alt → H → F → F	フォントを変更する
Alt → H → F → S	フォントサイズを変更する
Alt → H → F → C	文字色を変更する
Alt → H → H	セルの色を変更する
Ctrl + B	太字にする
Ctrl + I	斜線にする
Ctrl + U	下線を引く
Alt → H → W	折り返して全体を表示する

Tips　一部の文字だけに書式を設定する

セル内の一部の文字だけに書式を設定したい場合は、セルの文字を編集できる状態にして、書式を設定したい文字を選択し、書式を設定します。

Tips　右クリックのメニューから書式を変更する

セルを右クリックした際に表示されるメニューからも、書式を変更することができます。なお、右クリックのメニューからでは一部設定できない書式もあるので注意しましょう。

❸表示形式を変更する

通常の場合、セルには入力した数値はそのまま表示されます。しかし、書式設定をすることで、表示される形式を変更することができます。まずは、表示形式の変更の方法を確認しましょう。

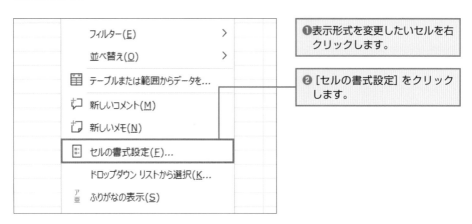

❶表示形式を変更したいセルを右クリックします。

❷ [セルの書式設定] をクリックします。

❸ [分類] から変更したい表示形式をクリックします。ここでは [日付] をクリックします。

❹ [種類] から形式を選択します。ここでは、[2012年3月14日] をクリックします。

❺ [OK] をクリックします。

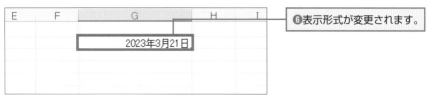

❻表示形式が変更されます。

ユーザー定義の表示形式

　表示形式には、ユーザー側が自由に定義して使用することも可能です。なお、これは上級者テクニックなので、最初のうちは最初から入っているプリセットから選んでいきましょう。ユーザー定義に使用できる書式はさまざまな記号を組み合わせて応用することによって、データを任意の表示形式で表示することができます。作成された表示形式はそのファイルのすべてのシートで使用することができます。新しく作成した状態では、組み込みの表示形式だけが使用できます。

#	1桁の数字を示す。# の数だけ桁数が指定され、その有効桁数しか表示されない。また、余分な 0 も表示されない
0	1桁の数字を示すが、指定したゼロの桁数だけ常にゼロが表示されない
?	固定幅フォントで数値の小数点を揃えるために、整数部と小数部の余分なゼロがスペースで表示されない
yy	西暦の下2桁を表示する
yyyy	西暦を4桁で表示する
m	月を表示する
d	日にちを表示する
h	時刻 (0〜23) を表示する

　表示形式を組み合わせると、以下のように表示させることができます。自分で自由に組み合わせられるようになると、仕事の効率も上がることでしょう。

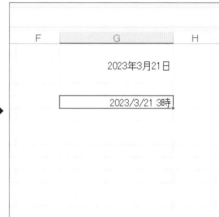

1 仕事の効率がグッと上がる！ 9の基本

Tips　自動的に表示形式が変わってしまう？

　セルに文字を入力すると、自動的に表示形式が変更されてしまう場合があります。たとえば「20230401」という数値を入力したいのに自動的に「2023年4月1日」と表示されるということです。そのような場合も表示形式を変更しましょう。

▶▶列と行の操作をマスターして仕事すばやく終わらせよう！

列と行に関する操作

　列と行はExcelの機能そのものと言っても過言ではありません。この列と行に目的に合わせた数値、文字列を入力していくための付随した機能が数式であったり書式だったりするわけです。**Excelの列と行と仲良くならずして時短はあり得ません**。ここで列と行とどう付き合うべきかご紹介します。

❶列と行を挿入・削除する

　表を作るとき、途中で間の列と行を追加して入力したいという場合があります。そういうときはすべてのデータをずらすのではなく間に挿入をしてしまいましょう。

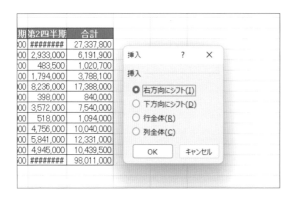

セルを選択した状態で、Ctrl＋＋を押します。出されたメニューから挿入したい方向を選択して [OK] をクリックします。

　列と行の削除もショートカットキーで行いましょう。挿入がCtrl＋＋ならば、削除はCtrl＋－です。

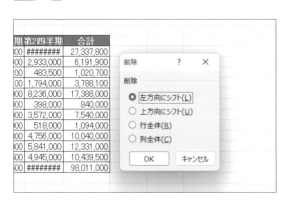

セルを選択した状態で、Ctrl＋－を押します。出されたメニューから削除したい方向を選択して [OK] をクリックします。

❷ドラッグで幅を変更する

セルの列と行の幅を変更しましょう。まずはマウスのドラッグ操作で幅を変更します。
マウスのドラッグ操作では自由に幅を変更することができます。

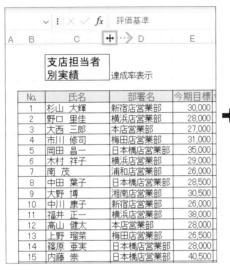

❸ダブルクリックで幅を変更する

セルの列と行の幅はダブルクリックで変更することも可能です。ダブルクリックの場合
は、入力されている文字量に応じて自動で幅が調整されます。ドラッグ操作より早く幅が
調整されるので、こちらの操作をメインに覚えるとよいでしょう。

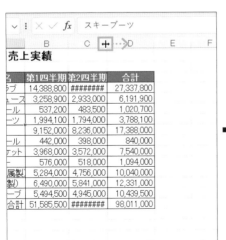

▶▶ **入力するデータによって適切な配置をしよう！**

入力データの配置

　　入力データを適切に配置することは、自身が作業を進める際の快適さを上げるだけでなく、他の人がその資料を見たときに、見やすくするという配慮でもあります。**入力データは基本的にすべて上下中央揃えが望ましいでしょう。また、文字列データは左揃え、数値データは桁が揃えられるように右揃えが基本になります。**

❶中央揃えにする

　　セルにデータを入力すると、初期設定では文字は左揃え、数値は右揃えで表示されます。きれいに表示したい場合は中央揃えにするとよいでしょう。

> セルを選択した状態で、[ホーム]タブの [配置] グループの ≡ をクリックしましょう。

❷その他の揃え方

　　中央揃え以外にも、左揃えや右揃えにすることもできます。文字を右揃えにすることで、数値と位置を揃えて配置することも可能です。

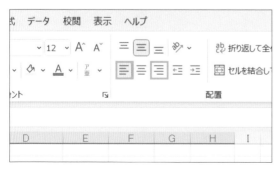

> セルを選択した状態で、[ホーム]タブの [配置] グループの ≡（左揃え）または ≡（右揃え）をクリックしましょう。

▶▶ワークシートごとの管理で

ワークシートに関する操作

　当然のことですが、1つのワークシートに異なるテーマの表が混在してしまうと混乱を招く要因になります。逆にデータごとにファイルを作ると、それはそれで管理が煩雑になってしまいます。そこでワークシートごとの管理が重要になります。

❶ワークシートを追加、コピーする

　ワークシートを追加することで、1つのファイルに複数のデータを作成することができます。月ごと年ごとのデータでワークシートを分けたりすることも可能です。

ワークシートの追加

16	清水　朋子	横浜店営業部
17	藤本　聖子	本店営業部
18	森田　潤子	湘南店営業部
19	永井　美菜子	新宿店営業部
20	千葉　千奈津	横浜店営業部

上半期実績　⊕

アクセシビリティ: 問題ありません

ワークシートの右にある⊕をクリックすると、ワークシートが追加されます。

ワークシートのコピー

15	11	福井	業部	38,000
16	12	髙山	部	28,000
17	13	上野	業部	26,500
18	14	篠原	営業部	28,000
19	15	内藤	営業部	40,500
20	16	清水	業部	27,500
21	17	藤本	部	29,000
22	18	森田	業部	29,000
23	19	永井	業部	26,500
24	20	千葉	業部	52,000

削除(D)
名前の変更(R)
移動またはコピー(M)...
コードの表示(V)
シートの保護(P)...
シート見出しの色(T)　＞
非表示(H)
再表示(U)...
すべてのシートを選択(S)

上半期実績

準備完了　アクセシビリティ: 問題ありません

元のデータをコピーしたワークシートを追加するには、コピーしたいワークシートの名前を右クリックして、[移動またはコピー]をクリックします。

❷ワークシートを削除、移動する

不要になったワークシートは削除しましょう。ワークシートを右クリックするメニューから削除します。また、ワークシートの順番を変更したい場合はドラッグ操作で入れ替えましょう。

ワークシートの削除

ワークシートの移動

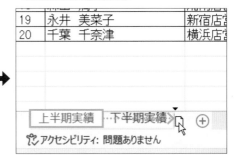

右クリックして表示されるメニューから [削除] をクリックします。

移動したいワークシートをドラッグして移動させたい位置まで移動させます。

❸ ワークシートに名前を付ける

ワークシートにはそれぞれ名前を付けることができます。「〇〇年度」や「会社名」などを付けることで、それぞれのワークシートのデータが何なのかをわかりやすくすると仕事の効率もあがります。

右クリックして表示されるメニューから [名前を変更] をクリックして、名前を変更します。

Tips　シートの見出しの色

右クリックして表示されるメニューから [シートの見出しの色] をクリックして色を選択すると、ワークシートのタブの色が変更されます。

第 **2** 章

Excelへの理解が
仕事のスピードアップを生む

Excel仕事のエッセンスを1つ1つ自分のものに！

　ただ、計算が出来て結果的に「表っぽいものが作れる」という
だけでは、仕事でExcelを使う人材としては不十分です。とはい
え、たくさんの機能が実装されているExcelを一気に理解するの
は困難なことでしょう。

　そこで本章では、Excel仕事を進めていくうえで**「コレだけは
おさえておきたい機能」**を紹介していきます。

　どのような仕事にも言えることですが、「今、あなたが何をし
たいのか、**何を成さないといけないのか」という目的に対して、
「どのような手段やツールを使えば目的を達成できるか」を考え**
ることが大切です。

　上記をExcel仕事に置き換えると**「作りたい資料に対して、ど
のExcelの機能を利用すれば良いかを判断する」**ということにな
ります。

　やらなければならないExcel仕事に対して、必要な機能を1回
理解してしまえば、また同じような仕事をしなければならないと
いうとき、直観的に手を動かすことが出来るでしょう。

　本書では、使う機能を業務で良く使う資料を例に紹介していま
す。最短でExcel仕事を完遂するために、適宜本書を活用してく
ださい！　そしてあなたが今抱えている仕事にマッチする機能を
1つ1つ身に付けていきましょう。

▶▶ 表計算の本領！　計算をマスターする

Excelで計算する

Excelは計算と数式を活用して、自分の表現したい資料の内訳を作っていきます。そのためにはまず、**四則演算**の方法や数式とは何かという基礎をおさえておく必要があります。これらは野球でいうところのキャッチボールにあたります。

❶四則計算、数式について

　四則計算とは「足し算」、「引き算」、「掛け算」、「割り算」のことです。Excelではこの計算をそれぞれセル内で行うことができます。また、計算する数値は直接入力するのではなく、すでに数値が入力されたセルを指定することで、毎回数値を入力しなくても同じ数値を計算することができます。税率など変更が頻繁に起きない数値などをセルで指定することでかんたんにお金の計算などができるようになります。

足し算

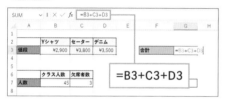

足し算は「**+**」で設定をします。

引き算

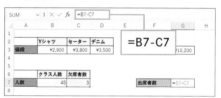

引き算は「**-**」で設定をします。

掛け算

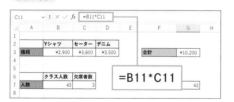

掛け算は「*** (アスタリスク)**」で設定をします。

割り算

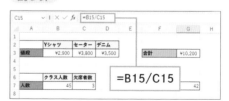

割り算は「**/**」で設定をします。

Tips	数式の入力は半角で

数式の入力は半角で行いましょう。全角の場合、うまく数式が反映されません。

それでは、実際に数式を使って税込の価格を計算してみましょう。税率は10% (2023年2月現在) を入力します。

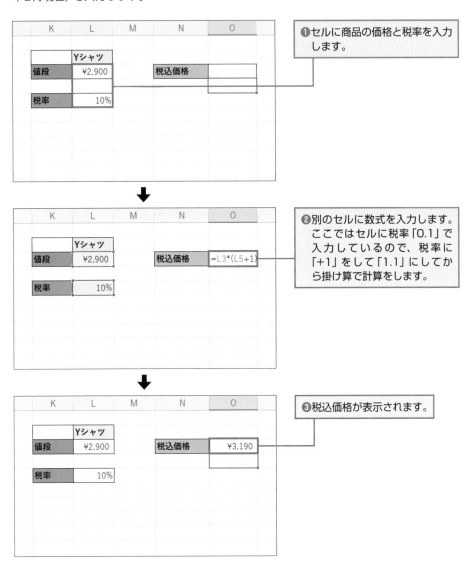

❶セルに商品の価格と税率を入力します。

❷別のセルに数式を入力します。ここではセルに税率「0.1」で入力しているので、税率に「+1」をして「1.1」にしてから掛け算で計算をします。

❸税込価格が表示されます。

| Tips | 税率が変動した場合 |

上記の例で、将来的に税率が変動した場合、数式をすべて変更する必要はありません。税率を入力したセルの数値を変更するだけで、変更した税率での価格をすぐに出すことができるのです。

▶▶数式のコピーは時短のキモ！

数式をコピーする

Excelは表計算ソフトというだけあって、さまざまな計算を行っていきます。実際に計算をはじめるまえに、**使う数字が異なっても使用する計算式が同じ場合は、数式をコピーして使い回す**ということを覚えてしまいましょう。何度も同じ計算式を手入力するなんてナンセンスです。多くの作業を必要とするExcel仕事の時短のコツは「余計な手入力を増やさない！」ことです。

❶数式をコピーして貼り付ける

数式をコピーして貼り付けると、貼り付けたセルにまったく同じ内容で貼り付けられないことがあります。**貼り付けたセルの位置によって、そのセルに対応したコピー元のセルも移動するからです。**

右のような数式をコピーしたとします。これをE5のセルに貼り付けます。

E3に入力されている数式

$$=A3 × C3$$

⬇

E5に貼り付けられた数式

$$=A5 × C5$$

この場合、貼り付けたセルの行に合わせてコピー元の行も変更されていることがわかります。これは、列の場合も同じことが起こります。これを防ぐには参照（P.56参照）を使います。参照を使うことで、貼り付けたセルを固定することができるのです。

Tips 数式のコピー

数式のコピーはセルのコピーと同様に行うことができます。Ctrl + C でコピーし、Ctrl + V で貼り付けましょう。

❷オートフィルでコピーする

P.51のコピー方法を応用した技があります。それは**オートフィル**でのコピーです。**オートフィルはデータを連続して入力することができるものでした。これを使うことにより、数式も連続したデータとしてコピーすることができるのです。**たとえば、商品価格と購入数を掛け算して売り上げ価格を出す場合、最初の数式をコピーしてすべての商品の売り上げ価格にコピーするのは手間です。表を縦に配置してオートフィルでコピーしてしまえば、このような計算もあっという間に完成させることができるのです。

	値段	売れた数	売上
リンゴ	¥145	325	=B11*C11
クッキー	¥178	220	
ミカン	¥200	332	
チョコ	¥160	245	

❶指定したセルに商品価格と購入数のセルを掛け算で入力します。

	値段	売れた数	売上
リンゴ	¥145	325	¥47,125
クッキー	¥178	220	
ミカン	¥200	332	
チョコ	¥160	245	

❷オートフィルでそのほかのセルにコピーしていきます。

	値段	売れた数	売上
リンゴ	¥145	325	¥47,125
クッキー	¥178	220	¥39,160
ミカン	¥200	332	¥66,400
チョコ	¥160	245	¥39,200

❸すべてのセルに対応した売り上げ価格が計算されて表示されます。

▶ ▶ 最初に覚えたい計算方法

数値の合計や平均を出す

　数式のコピーを覚えたら、次はいよいよ実際に計算をしていきましょう。まずは、あなたも普段の生活で良く使う合計を出したり平均を出したりという超基本的な計算方法を見ていきます。

❶オートSUMで合計を出す

　本来であれば、指定した範囲のセルの合計や平均を出すには関数を入力する必要があります。しかし、Excelでは合計や平均といった簡単な計算は関数を入力するのではなく、メニューから設定することができます。まず、合計を使うには**オートSUM**を使います。Excelでは、SUMが合計を意味しています。日ごとの売り上げ価格の合計を出して、月の売り上げを出すなど、さまざまな場面で使うことができます。

❶セルを指定して［ホーム］タブの［編集］グループの［オートSUM］をクリックします。

❷合計されるセルの範囲を指定すると、範囲の合計が表示されます。

	A	B	C	D	E
1					
2		1月売上	2月売上	3月売上	合計
3	東京店	¥356,500	¥386,470	¥493,561	=SUM(B3:D3)
4	埼玉店	¥128,259	¥258,746	¥189,574	SUM(数値1, [数値2]
5	北海道店	¥306,958	¥654,231	¥459,631	
6	大阪店	¥228,547	¥798,215	¥504,920	
7	広島店	¥129,687	¥98,650	¥89,160	
8	合計				
9					

SUM ∨ ⋮ × ✓ fx =SUM(B3:D3)

2

Excelへの理解が仕事のスピードアップを生む

❷平均を計算する

では、次に平均を計算しましょう。商品グループの平均価格や、客層の平均年齢などを割り出すときに利用することができます。

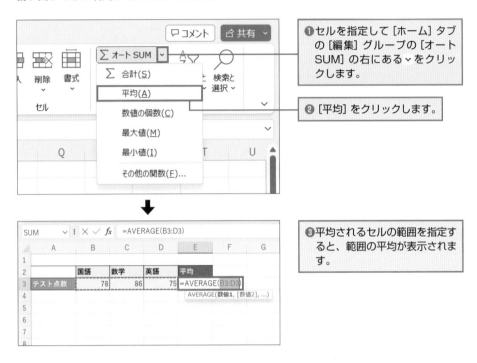

❶セルを指定して [ホーム] タブの [編集] グループの [オートSUM] の右にある ˅ をクリックします。

❷ [平均] をクリックします。

❸平均されるセルの範囲を指定すると、範囲の平均が表示されます。

Tips | 数値の個数とセルの最大値・最小値

同様の方法で指定したセルの範囲の数値の個数や、最大値・最小値の割り出しを行うことができます。数値の個数から、売り上げ数や客数を割り出したり、最大値・最小値で最大価格・最小価格の商品の値段を検索したりすることができます。

▶ ▶ 混乱を生まないために参照方式を理解しよう

セルの参照方式

　セルの計算は元の**セルを参照**することで行われます。セルの参照方式にはいくつかの形式があります。参照方式の使い分けについて見ていきます。

❶セルの参照方式の解説

　セルの参照方式には3つの方式があります。では、以下で1つずつ詳しく見ていきましょう。

相対参照

　参照先が数式に連動して変化する参照方式です。**数式が入力されているセルを基準として、ほかのセルの位置を相対的な位置関係で指定します。**数式をコピーすると、コピー先のセル位置に応じて参照先のセルが自動的に変化します。

絶対参照

　参照するセルが常に固定される参照方式です。**「C3」のように「$」を付けることで絶対参照になります。**数式をコピーすると、どの数式も同一のセルを参照し、変更されることはありません。

複合参照

　相対参照と絶対参照の特徴を組み合わせた参照方式です。**「C$5」「$C5」のように、セルの列または行のどちらか一方に「$」を付ける**ことで、参照先の列または行だけが固定されて、複合参照になります。数式をコピーすると、常に列（または行）を固定しながら参照し、行（または列）はコピー先のセル位置に応じて自動的に変化します。

Tips　そもそも参照とは

そもそもExcelにおける参照とは、特定のセル番地を指定することです。一般的な参照の意味は、「ほかのものと照らし合わせること」となっております。セルに数字や文字、記号といった情報を格納できるExcelでは、セル番地を指定すると、そのセルに入っている情報を取得できます。

▶▶絶対参照と相対参照の違いを理解しよう

絶対参照と相対参照を確認する

　相対参照はコピー先との位置関係に応じて参照先のセルが変わります。**絶対参照**は参照先のセルが固定されている状態を指します。言葉だけだとイメージしづらいと思いますので、どういうことか以下で見ていきましょう。

❶絶対参照を設定する

　それではセルに絶対参照を指定してみましょう。直接手入力してもいいのですが、毎回入力するのは手間になってしまいます。そこで参照を入力するショートカットを利用しましょう。

　セルを指定して、**参照するセルを入力した状態で** F4 **を1回押すと右のような絶対参照になります。**

> $= \$ B \$ 1$

Tips ショートカットキーで絶対参照を設定する

キーボードの F4 を押すと、指定したセルを絶対参照にすることができます。

Tips 参照も半角で入力する

数式やセル番号は半角で入力しますが、絶対参照で使用している S も半角で入力しなければなりません。なお、 F4 で絶対参照にした場合は自動的に半角で入力されています。

❷相対参照を設定する

次にセルに相対参照を指定してみましょう。もともとのセルを指定した場合は相対参照として表示されますが、一度絶対参照にしたものを相対参照に戻す場合、⟨S⟩を⟨Delete⟩などで削除してもよいのですが、ここでもショートカットが利用できます。

セルを指定して、参照する絶対参照されたセルを入力した状態で⟨F4⟩を何回か押すと右のような相対参照に戻ります。

=B1

❸絶対参照と相対参照で計算をする

実際に参照を利用した計算を見ていきましょう。以下のような多数の商品価格の税込または税抜価格を割り出す際などに非常に重宝します。変動する商品価格のセルには相対参照を、固定される税率のセルには絶対参照を指定すれば、あとはオートフィルでコピーで簡単に計算することができます。

❶まずは売上価格のセルを相対参照で指定します。ここでは税込価格を出すので、掛け算にします。

❷次に税率のセルを絶対参照で指定します。税率は「0.1（10%）」になっているので、「＋1」をします。

2

Excelへの理解が仕事のスピードアップを生む

=D11*(B16 + 1)

❸そうすると、今回は左のような数式で入力されていることを確認します。

者数		
3		出席者数

た数	売上	税込価格
325	¥47,125	¥51,838
220	¥39,160	¥43,076
332	¥66,400	¥73,040
245	¥39,200	¥43,120

❹それではこのセルをオートフィルを使ってすべての商品の税込価格を割り出します。

Tips 絶対参照を設定できない場合

セル内にカーソルが無い場合、 F4 を押しても絶対参照にすることができません。まずは F2 でセル内にカーソルを入れ込みましょう。

売れた数	売上	税込価格
325	¥47,125	=D11*(B16+1)
220	¥39,160	
332	¥66,400	
245	¥39,200	

➡

売れた数	売上	税込価格
325	¥47,125	=D11*(B16+1)
220	¥39,160	
332	¥66,400	
245	¥39,200	

▶ ▶ 第3の参照方式である複合参照とは？

複合参照を学ぶ

　前項の絶対参照と相対参照は理解できましたか？　本項を理解するには前項への理解が大切です。イマイチ理解できなかったという方は前項を読み直してみてください。

　さて**複合参照**とは行か列のどちらかは固定されており、どちらかは参照先が変わるというものを言います。実際に使い方を見ていきましょう。

❶複合参照とは

　絶対参照では、行と列両方を固定してしまい、完全にそのセルを参照するという方法でした。しかし、**複合参照では、行のみ固定または列のみ固定として、もう片方は相対参照のように固定しない方法**となっています。数式をコピーすると、常に行（または列）を固定しながら参照し、列（または行）はコピー先のセル位置に応じて自動的に変化します。

　セルを指定して、参照するセルを入力した状態で F4 を2回押すと右のように行が固定されます。

$$=B\$1$$

　セルを指定して、参照するセルを入力した状態で F4 を3回押すと右のように列が固定されます。

$$=\$B1$$

Tips　複合参照はどのようなときに使う？

どのようなときに複合参照を利用するかと一言で言うならば、数式を行方向にも列方向にもコピーする場合です。行方向または列方向いずれか一方にしかコピーしない場合は、複合参照を利用せず、相対参照と絶対参照を利用するだけでOKです。

❷複合参照を活用する

実際に複合参照を利用した計算を見ていきましょう。以下のような料金表の計算などに非常に重宝します。基本料金には絶対参照を指定し、オプション料金などに複合参照を指定すると、組み合わせによりいくらになるのかの計算が簡単になります。

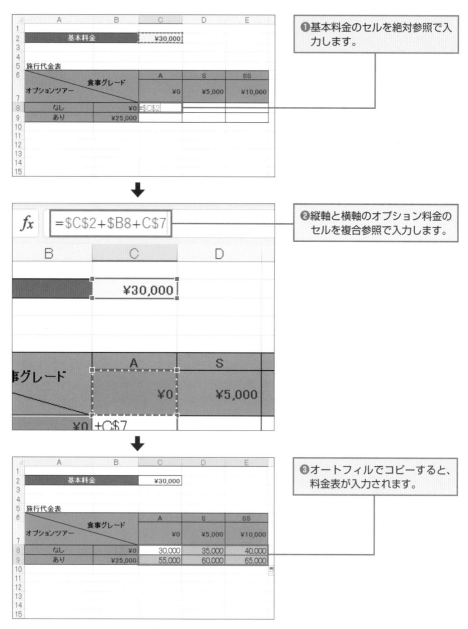

❶基本料金のセルを絶対参照で入力します。

fx =C2+$B8+C$7

❷縦軸と横軸のオプション料金のセルを複合参照で入力します。

❸オートフィルでコピーすると、料金表が入力されます。

▶▶▶「参照元、参照先がわからない（汗）」がたちまち解決！

参照元、参照先のトレースする

　資料の作成を進めていくと参照元、参照先の数式が入り乱れ、どの数字がどこの数式をもとに算出されたものかがわからなくなってしまいます。そのようなときに**参照元、参照先のトレース**が便利です。

❶参照元をトレースする

　Excelの**トレース機能**とは、数式とセルの参照関係を矢印で表示してくれるもので視覚的に関係性を理解しやすくなります。**参照元のトレースは、数式に入っているセルが、どのセルを参照しているのかを表示します**。いくつも繰り返された複雑な参照の場合、矢印元のトレースを何度もたどれば、最終的にいちばん最初の参照先を探すことができます。これは、参照時にエラーが出た際に間違っている箇所や原因を探す際に、非常に重宝します。

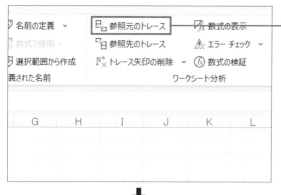

❶参照を指定しているセルを選択して、[数式] タブの [ワークシート分析] グループの [参照元のトレース] をクリックします。

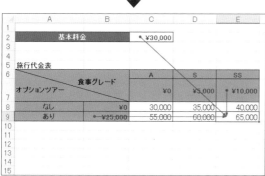

❷参照先のセルから矢印が表示され、参照元が可視化されます。

❷参照先をトレースする

逆に参照先をトレースすることも可能です。基本的には参照元のトレースと同じことで、参照先を矢印で可視化できるというものです。**この機能はセルを削除するときなどに、そのセルを参照している数式の有無をチェックできます。** 数式エラーでありがちな、削除によって参照がなくなるというトラブルを防げます。

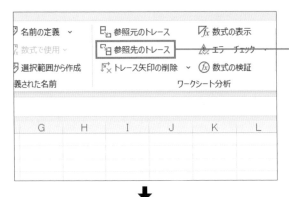

❶セルを選択して、[数式] タブの [ワークシート分析] グループの [参照先のトレース] をクリックします。

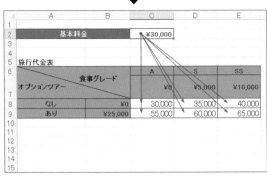

❷参照元のセルから矢印が表示され、参照先が可視化されます。

Tips　トレースの矢印を削除する場合

トレースで表示した矢印は自動で消えません。チェックが完了したら削除しましょう。[数式] タブの [ワークシート分析] グループの [トレース矢印の削除] をクリックします。

▶▶ 再計算の自動/手動のメリット・デメリット

再計算の自動/手動切り替え

再計算を自動にしていると数式を変更したりデータを1つ変更したりするとすべての
データに変更データが反映されます。これは一見便利と思いますが、一気に再計算が行わ
れることでどのデータが変わったのか追うことができません。そこでそういったときに再
計算を手動に設定します。

❶再計算とは

通常ではExcelで計算式の値を変更した際に、参照先の数式や関数は自動的に計算結果が
更新されます。**非常に便利な機能ですが、1つ1つの結果を確認したい場合、手動でそれ
ぞれのセルの計算結果を更新することもできます。**一概にどちらがよいとは言えませんが、
基本的には自動での再計算で問題ありません。しかし、巨大な表を作成した場合は更新に
時間がかかるため、Excel上で自動的に手動の再計算設定になってしまう場合もあります。
また、手動に設定されていたExcelファイルを開いたあとに、別のExcelファイルを開く
と、手動の設定が引き継がれてしまうので、注意が必要です。

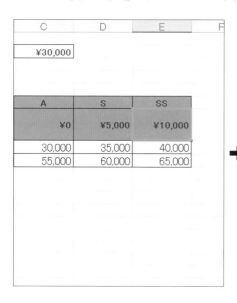

手動の場合は、値を変更しても自動的に値のセルを参照しているセルが自動で再計算さ
れません。上記の例では、値段を¥20,000に変更しても数式を適用している下のセルが自
動で修正されていないことがわかります。

❷自動／手動を切り替える

では実際に自動と手動の切り替え方法を見ていきましょう。万が一手動になっていた場合、自動に戻すときに使える操作なので覚えておくと便利です。

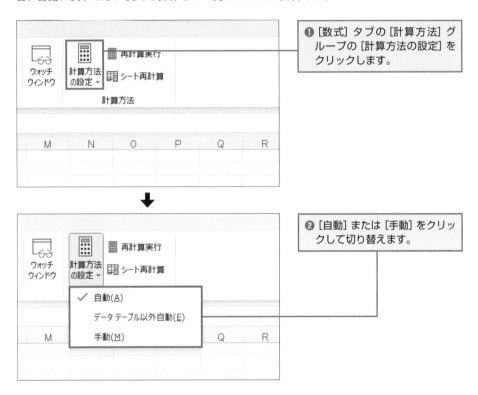

❶ [数式] タブの [計算方法] グ
ループの [計算方法の設定] を
クリックします。

❷ [自動] または [手動] をクリッ
クして切り替えます。

Tips **手動で再計算を実行する**

手動にした際に再計算を実行するには、[数式] タブの [計算方法] グループの [再計算実行] をクリックします。しかし、これではいくつもセルがある場合は非常に手間なので、ショートカットを利用しましょう。F9 を押すことで、ファイル全体のセルの再計算が実行されます。

▶ ▶ **データを成果物としてまとめるための知識**

表に関する操作

　前項までで、Excelの基本的な計算に関する機能を見てきました。ここでは、それらの機能を使ってどのように表にまとめていくかということを見ていきます。仕事で使えるレベルのExcel技術はここからはじまります。

❶表を作成する

　Excelでは計算のほかにメインとなるのは表の作成です。表を作る際は、表のタイトルを作成するところから始めましょう。**タイトルや見出しを作成する時には、あとから見返したときに内容がわかるようにしましょう。**見出しを目立たせたいときにはフォントの調整などを行ってください。タイトルを作成したら、表にデータを入力していきます。数字が連続する場合は、オートフィル機能を使うと便利です。書き込んだのが数字の場合は、搭載された関数を使用すると簡単に計算することができます。次のページから実際に流れを確認してみましょう。

	社員名簿					
社員No.	名前	住所		電話番号	部署	支社
		都道府県	市区町村			
1	広沢茜	東京都	江東区	090-0000-1111	営業部	東京支社
2	久保田浩紀	埼玉県	さいたま市	080-1111-2222	経理部	埼玉支社
3	本田正人	埼玉県	川口市	090-5555-3333	営業部	東京支社
4	秋野寛子	東京都	江東区	070-2222-3333	営業部	東京支社
5	山崎優斗	東京都	江戸川区	090-8888-9999	営業部	千葉支社
6	上田紗枝	千葉県	習志野市	080-2222-7777	経理部	千葉支社

Tips　見やすいおすすめフォント

表を作るうえで、文字のフォントに悩むことが多いかと思います。おすすめはExcel2016から標準で搭載されている**「游ゴシック」**です。シンプルで文字でも数字でも可読性が高く、高解像度の画面でも滑らかに表示される万能型です。ほかにも、文字なら**「MSPゴシック」**、数字なら**「Arial」**なども見やすくおすすめです。

表の作成の流れを画面を見ながら確認していきます。ここでは売り上げ表を作成していきます。

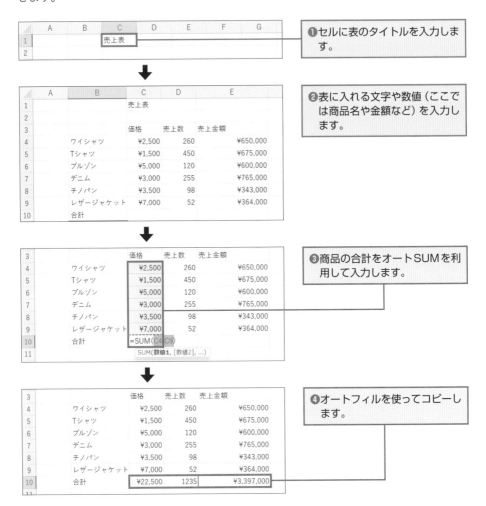

❶セルに表のタイトルを入力します。

❷表に入れる文字や数値（ここでは商品名や金額など）を入力します。

❸商品の合計をオートSUMを利用して入力します。

❹オートフィルを使ってコピーします。

これで表の土台が完成しました。

Tips　**セルの結合のメリット・デメリット**

Excelにはセルの結合という機能があります。表を作るうえでも便利で、視覚的にひとまとめのグループを作ることができます。しかし**デメリットもあります。「コピー&ペーストがうまくいかない」「行・列の追加や削除が不自由」「並べ替えができなくなる」「オートフィルターがうまく機能しなくなる可能性がある」**といったものです。メリットとデメリットを理解したうえで結合するかしないかを上手に使い分けましょう。

❷見やすい表作成のためのポイント

　表を作成するうえで、文字や数値、数式を入力するだけでは、見栄えのよい表とはいえません。罫線を入れてセルを区切ったり、タイトル行や合計セルの色を変更したり、数値に合わせて幅を変更したりするなど、見やすい表を作成するためのポイントを見ていきましょう。

罫線を追加する

　セルの周囲を罫線（枠線）で囲むことで、データ同士の境界がわかりやすくなります（P.69参照）。

売上表	価格	売上数	売上金額
ワイシャツ	¥2,500	260	¥650,000
Tシャツ	¥1,500	450	¥675,000
ブルゾン	¥5,000	120	¥600,000
デニム	¥3,000	255	¥765,000
チノパン	¥3,500	98	¥343,000
レザージャケット	¥7,000	52	¥364,000
合計	¥22,500	1235	¥3,397,000

セルの色を変更する

　合計値などの重要なセルの色を変更すると、見栄えがよくなります。またセル全体ではなく文字や数値の色を変更するのも有効です。

売上表	価格	売上数	売上金額
ワイシャツ	¥2,500	260	¥650,000
Tシャツ	¥1,500	450	¥675,000
ブルゾン	¥5,000	120	¥600,000
デニム	¥3,000	255	¥765,000
チノパン	¥3,500	98	¥343,000
レザージャケット	¥7,000	52	¥364,000
合計	¥22,500	1235	¥3,397,000

フォントサイズを変更する

　タイトルの文字サイズを大きくして目立たせましょう。一目で何の表なのかがわかりやすくなります。

B	C	D	E
	売上表		
	価格	売上数	売上金額
ワイシャツ	¥2,500	260	¥650,000
Tシャツ	¥1,500	450	¥675,000
ブルゾン	¥5,000	120	¥600,000
デニム	¥3,000	255	¥765,000
チノパン	¥3,500	98	¥343,000
レザージャケット	¥7,000	52	¥364,000
合計	¥22,500	1235	¥3,397,000

セルの幅や高さを変更する

表のすべてのセルが同じ幅だと、文字量の多さによって隙間ができてしまい、かえって見づらくなってしまいます。文字量に応じてセル幅や高さを変更しましょう。

	価格	売上数	売上金額
			売上表
ワイシャツ	¥2,500	260	¥650,000
Tシャツ	¥1,500	450	¥675,000
ブルゾン	¥5,000	120	¥600,000
デニム	¥3,000	255	¥765,000
チノパン	¥3,500	98	¥343,000
レザージャケット	¥7,000	52	¥364,000
合計	¥22,500	1235	¥3,397,000

文字の配置を変更する

「価格」や「売上数」の表内グループを表すセルなどの列は中央揃えより左揃えの方が見やすい傾向にあります。また、**金額は桁を揃えるために右揃えにしましょう。**

	価格	売上数	売上金額
			売上表
ワイシャツ	¥2,500	260	¥650,000
Tシャツ	¥1,500	450	¥675,000
ブルゾン	¥5,000	120	¥600,000
デニム	¥3,000	255	¥765,000
チノパン	¥3,500	98	¥343,000
レザージャケット	¥7,000	52	¥364,000
合計	¥22,500	1235	¥3,397,000

Tips 凝りすぎた表はかえって見づらい

表を作成する際に、さまざまな装飾を施しすぎるとかえって見づらくなってしまいます。とくにセルの色などは注意が必要です。濃い色を使うと目に痛い表になってしまいがちですので、薄い色を使うとよいでしょう。また、**ビジネスの場合は表はカラフルより白黒で作成することが多いです。そのため、重要なセルはグレーなどを使うのもよいでしょう。**

	価格	売上数	売上金額
			売上表
ワイシャツ	¥2,500	260	¥650,000
Tシャツ	¥1,500	450	¥675,000
ブルゾン	¥5,000	120	¥600,000
デニム	¥3,000	255	¥765,000
チノパン	¥3,500	98	¥343,000
レザージャケット	¥7,000	52	¥364,000
合計	¥22,500	1235	¥3,397,000

→

	価格	売上数	売上金額
			売上表
ワイシャツ	¥2,500	260	**¥650,000**
Tシャツ	¥1,500	450	**¥675,000**
ブルゾン	¥5,000	120	**¥600,000**
デニム	¥3,000	255	**¥765,000**
チノパン	¥3,500	98	**¥343,000**
レザージャケット	¥7,000	52	**¥364,000**
合計	¥22,500	1235	**¥3,397,000**

▶▶表を見やすくするための必須テク

表に罫線を設定する

　本項からは作成した表を見やすくするための機能について見ていきます。まずは**「罫線」**です。罫線はセルに指定した形式で枠線を引き、見やすくしてくれるものです。本項で今日から使える見やすい資料にするための罫線の引き方をお伝えします。

❶罫線を設定する

　それでは表に罫線を設定しましょう。罫線を引く場合、セルごとに格子で設定だけしてもよいですが、**カテゴリが変わる境目の罫線のスタイルを変えたり、一番外枠の部分は太くしたりなど、さまざまな工夫を凝らすこともできます。**罫線は［ホーム］タブの［フォント］グループから設定することができます。

　罫線の✓をクリックすると、罫線の種類が表示されます。設定したい種類を選択しましょう。格子状にするだけでなく、上側のみや右側のみといった設定も可能です。

　罫線を設定した表は各段に見やすくなります。作っている表に合わせて罫線を工夫してみましょう。

069

❷罫線の種類

罫線の種類を確認していきましょう。なお、罫線はただ引くだけではなく線の種類や色などさまざまにカスタムすることが可能です。

罫線の種類を変更する

罫線の色をを変更する

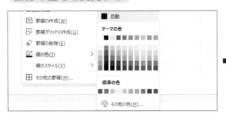

Tips 罫線は斜めに引くこともできる？

表を作成した際に、たとえば表の一番左上の部分に斜線を引くことがよくあります。この斜線は実は罫線で引くことができるのです。[セルの書式設定] ダイアログボックスを開き、[罫線] タブから斜めを設定しましょう。

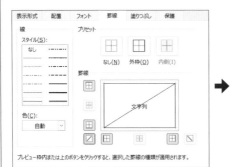

▶▶▶ 見たいデータを探すための必須テク

表の並び替えとフィルター

たとえば自社の売り上げをまとめた表で売れた日の傾向を見たいとき、**[昇順]** で表を
ソートすると行を売上順に並べ替えることができます。さらに、列で商品を買った性別な
どを絞り込むための機能として**フィルター**があります。

❶昇順と降順

たとえば名簿の場合、あいうえお順や年齢順、入社順に並べ替えたい場合、Excelの昇順
と降順機能を使うと簡単に並べ替えることができます。**表に設定した数式や関数も自動的
に並べ替え後に設定してくれるので安心して並べ替えて比較することが可能です。**[ホー
ム] タブの [編集] グループの [並べ替えとフィルター] から設定します。

昇順

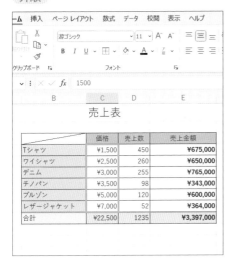

降順

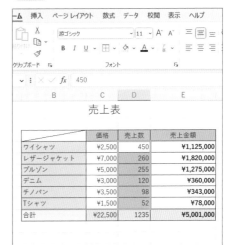

Tips	フィルターを設定する

たとえば表の名簿から「入社3年目の社員だけ取り出したい」といったような場合、フィル
ター機能を使いましょう。フィルターも同様に [ホーム] タブの [編集グループ] の [並べ替え
とフィルター] から設定します。

2

Excel への理解が仕事のスピードアップを生む

▶▶ワイルドカードを使った効率的な文字列の検索

ワイルドカード文字を活用する

「*」（アスタリスク）を**ワイルドカード**と呼びます。この記号は任意の文字列の代用として利用が可能です。たとえば表の中から「商」という字から始まる「商品」などの単語をすべて検索したいとき、**「商*」と検索を変えると「商」からはじまるすべての文字列を検索できます。**

❶ワイルドカード文字とは

Excelで膨大なデータを取り扱っていると、一部の文字列のみ一致するデータを取り出したい場合が出てくるかと思います。たとえば「商品番号」の先頭が「A-10」となっているものだけピックアップし、その文字列を太字にするという場合です。単純に「A-10」とだけ入力して検索をしても該当のデータは見つかると思いますが、ほかの場所に偶然「123-A-10」という文字列が入っていた場合は、そのデータも検索対象になってしまいます。そんなときに活躍するのが、**ワイルドカード**という機能です。**この機能を使って検索することで、フィルターなどより簡単に対象の文字を探すことができます。**

*（アスタリスク）	文字列の前後に1つ付けるだけで字数に限らず文字列に置き換えることができます。
?（クエスチョン）	1つが一文字分を表し、何文字の文字列を検索するか指定できます。
~（チルダ）	セルにある「*」や「?」を検索します。

Tips　ワイルドカードとは

通常の場合、ワイルドカードとは「カードゲームにおいて特殊な役割を果たすカード」とされています。しかし、IT用語として使う場合は、文字列の指定や比較・探索などを行う際に、任意のあるいは特定のパターンに一致する文字列を表す特殊な記法や記号のことをワイルドカードと呼んでいるのです。

❷ワイルドカード文字を活用する

ワイルドカード文字は検索でも使うことができますが、関数と組み合わせることで効力を発揮します。ここでは**「COUNTIF関数」（P.93参照）**との組み合わせを例に、「初級Aコース」と「初級Bコース」を選択した人が合わせて何人いるかをワイルドカードを使って検索し、カウントしてみます。

❶セルにCOUNTIF関数を入力し、範囲を指定します。

❷今回は「初級Aコース」と「初級Bコース」の人数を数えたいので、「初級」と「*」を組み合わせて検索条件を設定します。つまり「"初級*"」と入力するのです。

❸ワイルドカードを使って、選択した人数を割り出すことができました。

▶▶ 条件でセルの書式を変更できる優れもの

条件付き書式を設定する

　先ほどフィルターやソートでデータを整理し探しやすくする方法を解説しました。さらにデータを探しやすくする方法として**条件付き書式**があります。たとえば8月の気温をまとめた表で30℃を超える日のデータは赤く塗りつぶすという条件を入れれば30℃と入力されたセルが一目瞭然となります。

❶条件付き書式を設定する

　条件付き書式とは、指定したセルの範囲に対して条件を設定し、その条件を満たすとセルに対して定めた書式を反映させるというものです。 たとえば商品価格の場合、1,000円以上の商品はセルの色を赤くするといったことが可能です。そのほかにもカレンダーを作成した際に土日の文字を赤くするということもできます。関数と組み合わせることも可能ですが、まずは設定の方法から確認していきましょう。

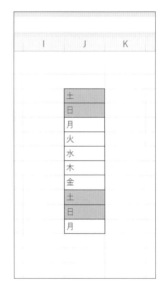

売上表

	価格	売上数	売上金額
ワイシャツ	¥900	450	¥405,000
レザージャケット	¥7,000	260	¥1,820,000
ブルゾン	¥5,000	255	¥1,275,000
デニム	¥900	120	¥108,000
チノパン	¥1,500	98	¥147,000
Tシャツ	¥500	52	¥26,000
合計	¥15,800	1235	¥3,781,000

I	J	K
	土	
	日	
	月	
	火	
	水	
	木	
	金	
	土	
	日	
	月	

　一定の価格以上の商品のセルを赤くすることで、高額商品をすぐ見つけることができます。

　カレンダーでは、土日など特定の曜日の色を変えることができます。設定によっては土を青、日を赤にすることも可能です。

それでは条件付き書式を設定しましょう。さまざまなルールや設定を行えますが、ここでは1,000円以上の価格のセルの色を赤くしてみましょう。

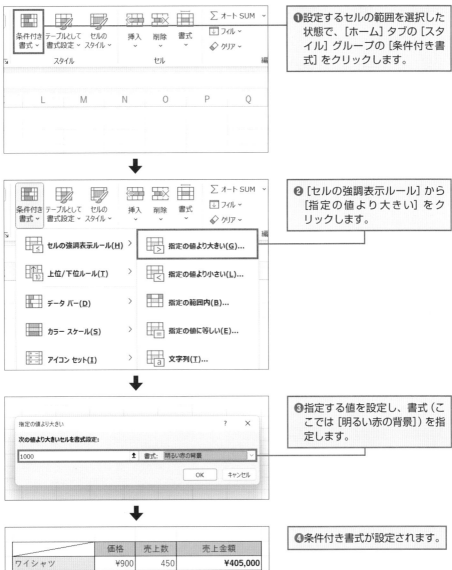

❶設定するセルの範囲を選択した状態で、[ホーム] タブの [スタイル] グループの [条件付き書式] をクリックします。

❷[セルの強調表示ルール] から [指定の値より大きい] をクリックします。

❸指定する値を設定し、書式 (ここでは [明るい赤の背景]) を指定します。

❹条件付き書式が設定されます。

	価格	売上数	売上金額
ワイシャツ	¥900	450	¥405,000
レザージャケット	¥7,000	260	¥1,820,000
ブルゾン	¥5,000	255	¥1,275,000
デニム	¥900	120	¥108,000
チノパン	¥1,500	98	¥147,000
Tシャツ	¥500	52	¥26,000
合計	¥15,800	1235	¥3,781,000

❷セルに設定した条件付き書式を確認する

すでに条件付き書式を設定している場合、あとからどのような条件で、どんな書式が設定されているのか忘れてしまう場合があります。その場合は、**[条件付き書式ルールの管理]** 画面から確認しましょう。

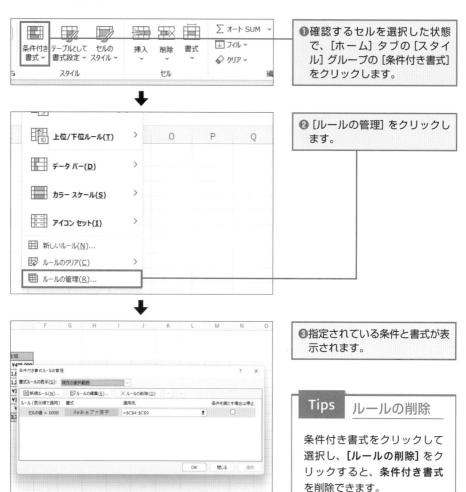

❶確認するセルを選択した状態で、[ホーム] タブの [スタイル] グループの [条件付き書式] をクリックします。

❷ [ルールの管理] をクリックします。

❸指定されている条件と書式が表示されます。

Tips　ルールの削除

条件付き書式をクリックして選択し、**[ルールの削除]** をクリックすると、**条件付き書式** を削除できます。

Tips　条件を満たす場合は停止

[条件を満たす場合は停止] にチェックを付けるとそのルールより下位の書式は適用されなくなります。これは 1 つのセルに複数の条件付き書式を設定した際に利用します。

それではそのほかのルールや書式を確認してみましょう。

上位/下位ルール

指定した範囲の上位（下位）のいくつまでのもの、もしくは何パーセントまでのものに書式を設定することができます。

	価格	売上数	売上金額
ワイシャツ	¥900	450	¥405,000
レザージャケット	¥7,000	260	¥1,820,000
ブルゾン	¥5,000	255	¥1,275,000
デニム	¥900	120	¥108,000
チノパン	¥1,500	98	¥147,000
Tシャツ	¥500	52	¥26,000
合計	¥15,800	1235	¥3,781,000

データバー

成績表や売り上げ金額などを横棒グラフにして見ることができるようになります。

	価格	売上数	売上金額
ワイシャツ	¥900	450	¥405,000
レザージャケット	¥7,000	260	¥1,820,000
ブルゾン	¥5,000	255	¥1,275,000
デニム	¥900	120	¥108,000
チノパン	¥1,500	98	¥147,000
Tシャツ	¥500	52	¥26,000
合計	¥15,800	1235	¥3,781,000

カラースケール

指定した範囲の数値が範囲のどこに該当するのかを色で表現することができます。

	価格	売上数	売上金額
ワイシャツ	¥900	450	¥405,000
レザージャケット	¥7,000	260	¥1,820,000
ブルゾン	¥5,000	255	¥1,275,000
デニム	¥900	120	¥108,000
チノパン	¥1,500	98	¥147,000
Tシャツ	¥500	52	¥26,000
合計	¥15,800	1235	¥3,781,000

アイコンセット

指定した範囲の中で該当したセルにアイコンを付けることができます。ノルマ達成に✔や未達成に×といったマークを付けることができます。

	価格	売上数	売上金額
ワイシャツ	¥900 ✔	450	¥405,000
レザージャケット	¥7,000	260	¥1,820,000
ブルゾン	¥5,000	255	¥1,275,000
デニム	¥900 ✖	120	¥108,000
チノパン	¥1,500 ✖	98	¥147,000
Tシャツ	¥500 ✖	52	¥26,000
合計	¥15,800	1235	¥3,781,000

▶▶ 入力値がある程度決まっていたら使うべし！

入力規則を設定する

入力規則はセルに入力できる値を制限する機能です。入力値を設定すると設定した入力値以外の値は入力できなくなります。具体的な使用方法としてはリストでプルダウンを設定するなどがあります。

❶セルに入力規則を設定する

たとえば売り上げ表を作成した際に、売り上げ金額の欄には当然ながら金額を入れるのが普通です。しかし、何かの拍子で金額の欄に商品名が入力されてしまい、そのまま気づかずに作業をしてしまう可能性も考えられます。そうなると別のセルに数式を入れた際にエラーが発生してしまい、作業に遅れが生じてしまいます。そのようなエラーを防ぐために、セルに入力規則を設定しましょう。**入力規則を設定することで、「このセルには数値のみ入力できる」「1〜99までの数値しか入力できない」といったルールをセルに付けることが可能です。**

入力規則を設定する場合、数値のほかに日程や時間、文字列のみといったルールも可能です。

入力規則を無視して入力した場合に、エラーメッセージを付けることもできます。これで入力ミスを減らすことができます。

それでは入力規則を設定しましょう。ここでは、セルに数値のみのルールを付け、なおかつ違う入力をした場合にエラーメッセージが出るように設定します。

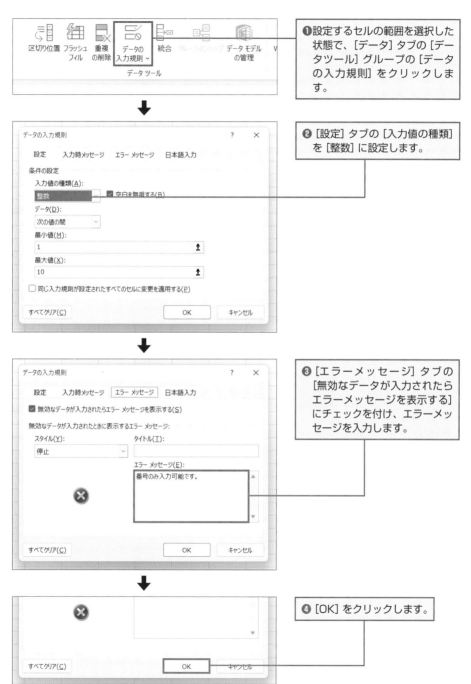

❶設定するセルの範囲を選択した状態で、[データ] タブの [データツール] グループの [データの入力規則] をクリックします。

❷ [設定] タブの [入力値の種類] を [整数] に設定します。

❸ [エラーメッセージ] タブの [無効なデータが入力されたらエラーメッセージを表示する] にチェックを付け、エラーメッセージを入力します。

❹ [OK] をクリックします。

▶▶新機能「スピル」をいち早く使いこなせ！

スピル機能を活用する

スピル機能はMicrosoft365とExcel2021で実装された新機能です。スピル（spil）という単語は「あふれる」という意味です。その意味の通り、スピルを使用すると入力を行ったセルに隣接しているそのほかのセルにも入力結果が反映されます。

❶スピル機能とは

数式を入力したセルだけでなく、隣接するセルにも結果が表示されるという革新的な機能となっています。 従来では、配列数式を利用した場合を除いて、数式を入れた1つのセルに対して1つの結果が表示されるのが普通でした。

とあるセル範囲に入力された値をほかのセル範囲にも表示させたい場合に、そのうちの1つのセルに数式を入力します。

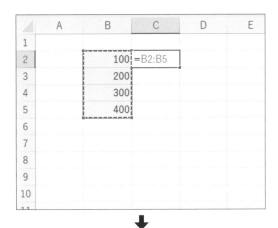

入力が完了すると、セル範囲の値を入力していないのにも関わらず値がすべて表示されます。これがスピル機能の基本となります。

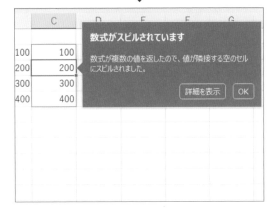

❷スピル機能を活用する

それではスピル機能を活用してみましょう。ここでは**VLOOKUP関数**を使った売り上げ表を例に確認します。なお、VLOOKUP関数については、P.105を参照してください。

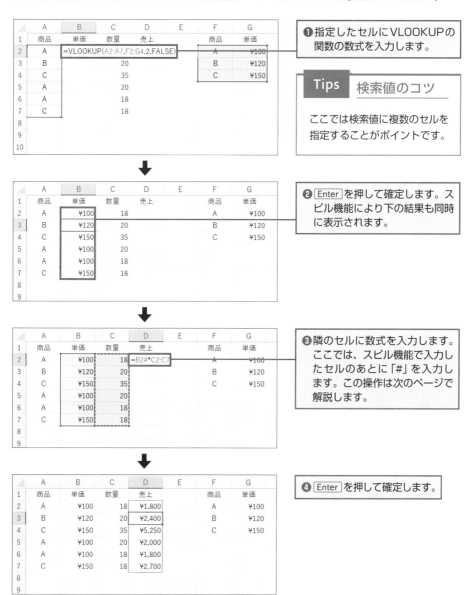

❶指定したセルにVLOOKUPの関数の数式を入力します。

Tips 検索値のコツ

ここでは検索値に複数のセルを指定することがポイントです。

❷ Enter を押して確定します。スピル機能により下の結果も同時に表示されます。

❸隣のセルに数式を入力します。ここでは、スピル機能で入力したセルのあとに「#」を入力します。この操作は次のページで解説します。

❹ Enter を押して確定します。

上記の操作でわかるかと思いますが、数式をコピーする必要がないのです。スピル機能によって参照したセルを自動的に計算してくれます。

❸スピル演算子とは

先ほどの例でスピル機能を使ったセルを再度利用する場合に「**#**」を使いました。これを「**スピル演算子**」と呼びます。

スピルによって流出したセルを、また別の関数などで計算することもあるでしょう。たとえば、右のようなケースです。しかし、スピルによって何個のセルが流出されるかは、わかりません。このようなときは、次のように指定します。

「**B1#**」というのは「**動的配列数式を入力したセルB1と、その動的配列数式によって流出した全セル**」を表します。これで、何個のセルが流出するかを心配する必要がなくなります。

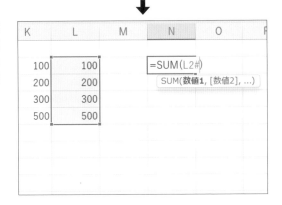

Tips　動的配列数式

スピルによって自動的に隣接するセル範囲に結果が表示される機能を**動的配列数式**と呼びます。

Tips　ゴースト

スピルによって流出したセルは、数式バーの表記が薄くなります。スピルによって流出したセルのことを**ゴースト**と呼びます。ゴーストを直接編集するとエラーになり、ゴースト内へのセル挿入やセル削除はできません。

▶▶ **規則的なデータはフラッシュフィルで自動入力！**

フラッシュフィルで入力する

本項では、**フラッシュフィル**について解説していきます。**フラッシュフィルは入力パターンに規則性のあるデータを自動入力できる機能です**。では、どんなときにフラッシュフィルを使用できるか具体例を見ていきましょう。

❶フラッシュフィルとは

Excelを使った業務では、大量のデータに対して同じような処理を行うことがよくあります。たとえば、名簿に入力済みの氏名を「姓」と「名」で分割するようなケースです。このような場合は関数を使うと取り出しやすいと考えてしまうのですが、姓と名の間が半角スペースと全角スペースが混在している場合、うまく取り出すことができません。そこで活躍するのがフラッシュフィルです。

氏名一覧から姓と名をそれぞれ別に取り出します。

最初に取り出したセルのルールに従い、ほかのセルも同様に取り出すことができます。

❷ フラッシュフィルを活用する

それでは実際にフラッシュフィルを利用してデータを取り出してみましょう。

社員No.	名前	姓	名
1	広沢　茜	広沢	
2	久保田　浩紀		
3	本田　正人		
4	秋野　寛子		
5	山崎　優斗		
6	上田　紗枝		

❶氏名一覧の隣に姓と名を取り出します。一番上のセルの隣のセルに姓を入力します。

➡

社員No.	名前	姓	名
1	広沢　茜	広沢	
2	久保田　浩紀	久保田	
3	本田　正人	本田	
4	秋野　寛子	秋野	
5	山崎　優斗	山崎	
6	上田　紗枝	上田	

❷入力したいセルが選択された状態で Ctrl + E を押すとフラッシュフィルが起動して自動で入力されます。

➡

社員No.	名前	姓	名
1	広沢　茜	広沢	茜
2	久保田　浩紀	久保田	浩紀
3	本田　正人	本田	正人
4	秋野　寛子	秋野	寛子
5	山崎　優斗	山崎	優斗
6	上田　紗枝	上田	紗枝

❸名の欄も同様の操作で取り出すことができます。

Tips フラッシュのそのほかの活用法

上記の例では氏名から姓と名を取り出していますが、**そのほかにもメールアドレスの「@」より後ろのを取り出すといったことも可能です。**この場合は、顧客がどのメールサービスからメールしているかどうかがすぐに取り出すことができます。

▶▶ 数値の詳細をレベルごとにグループ整理しよう！

アウトラインを活用する

　１つのシートで年度ごとの表をいくつも作成している場合、多数の年度にまたがると膨大な幅の表ができてしまいます。いちいち行ったり来たりして画面スクロールするのは非常に面倒ですね。そこで年度ごとにグループ化してしまえる機能がアウトラインです。

❶アウトラインとは

　Excelのアウトラインは、シートで選択した複数あるいは単独の行、あるいは列を「グループ」として設定し、表示・非表示を切り替えることができる機能です。たとえば、2022年 2023年…と同じ表で各年ごとの売り上げを記した表を作成したとします。それぞれの年ごとにアウトライン化をすることで、2023年のみを見たい場合、2022年のデータの表示・非表示を切り替えることができます。

	価格	売上数	売上金額
		2023年度	
ワイシャツ	¥900	322	¥289,800
レザージャケット	¥7,000	150	¥1,050,000
ブルゾン	¥5,000	400	¥2,000,000
デニム	¥900	600	¥540,000
チノパン	¥1,500	82	¥123,000
Tシャツ	¥500	450	¥225,000
合計	¥15,800	2004	¥4,227,800

　[データ] タブの [アウトライン] グループの [グループ化] から設定します。

　グループ化された列は折りたたむことができ、表示と非表示を切り替えることができます。

▶▶ **画面をスクロールしても見出しで何の表かすぐわかる**

ウィンドウを固定する

　データが何行、何列にもわたって記入されているとスクロールしているうちにデータのヘッダーが画面から隠れてしまいます。そういった場合にウィンドウの固定が便利です。

❶ウィンドウを固定する

　Excelで縦や横に長い表を作成すると、画面をスクロールしたときに見出しが画面から外れて見ることができなくなってしまうことがあります。見出しとデータを照らし合わせて作業を行う場合には、**「ウィンドウ枠の固定」を使えば行や列を固定して見出しを表示させたままにすることができます。**

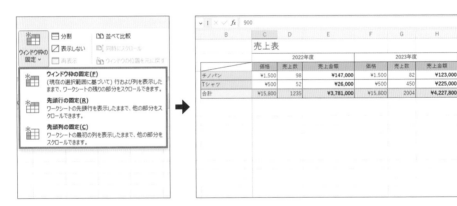

　ウィンドウを固定したい行と列が交差するセルを選択した状態で、[表示] タブの [ウィンドウ] グループの [ウィンドウ枠の固定] を選択します。

　ウィンドウが固定され、画面をスクロールしても固定された部分は常に表示された状態となります。

第 **3** 章

計算ソフトの本領発揮！
よく使う関数と
機能をおさえよう！

とりあえず、今実務に最低限必要なことを学ぶ

　Excel仕事というのは「表やグラフにデータをレイアウトして資料を作る」ということだったり、「帳票や書類のテンプレート」を作るといったことが主なタスクとなります。

　上記の作業はどういう作業によって構成されているかというと、データをレイアウトする、レイアウトしたデータをきれいに見やすく整えるという2ステップで構成されています。

　つまりExcel仕事を効率化するということは、効率的にデータを入力し、その入力データを効率的かつきれいにレイアウトしていくということです。

　2章までで解説した内容は、あくまでExcelの基本になります。本章からは、2章までの基本をおさえたうえで、Excel仕事の時短で効果を発揮する機能を見ていきます。

　とくに本章で解説する「関数」という機能は計算の手間を一気に削減する優れものです。「関数」は目的に合わせて色々な使い方ができ、できる作業の幅もグーンと増えます。1点難点があるとすると、「関数」の種類は500種を超えており、すべてを暗記して、使いこなすのは到底不可能ということです。そこで、本章では、最低限知っておきたい「関数」を厳選して紹介します。

▶▶Excelの最強ツール"関数"

関数とは

　ここでは1章、2章でも少し紹介した**「関数」**について詳しく見ていきます。関数を使うと複雑な計算を手入力したり、同じ計算を何度も繰り返したりという手間が省けます。まずは関数の仕組みを理解しましょう。

❶関数とは

　関数とは、目的の計算をするためにあらかじめ用意されている数式のことです。演算子だけを使用して行う計算には限界があります。たとえば、100個のセルに入力された数値の合計を求める場合、それらを1つ1つ「+」を使って繋いで数式を作成するのは大変です。しかし、関数を利用すると、複雑な計算や条件式を使った計算、また算出方法がわからない計算式でも、必要な基本のデータを入力するだけで、数式を考えることなく値を求めることができます。

　2章で解説したオートSUMでの合計や平均はこの関数を利用しています。合計ではSUM関数、平均ではAVERAGE関数です。

　「関数」は、あらかじめExcelに用意されている数式です。目的に合わせて特定の計算を行うことができます。

　関数を使う場合は、演算記号を使って数式を入力する代わりに、「()カッコ」内に必要な引数（ひきすう）を指定して計算を行います。関数に指定した引数によって、出力される結果を戻り値（もどりち）と言います。まずは以下のイラストのように簡単に考えてみましょう。

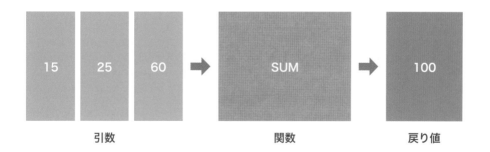

| 15 | 25 | 60 | → | SUM | → | 100 |

| 引数 | 関数 | 戻り値 |

3

計算ソフトの本領発揮！　よく使う関数と便利テクニックをおさえよう！

089

それでは、実際に関数をセルに入力し、確認してみましょう。

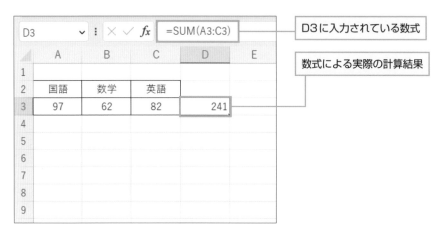

この場合、引数の範囲はA3からC3の範囲となります。

AVERAGE関数でも同じことを考えることができます。

▶▶ 直感的に使いたい！

よく使う関数を理解する

　前項で関数がどのようなものか分かったでしょうか。ただ、関数を使いこなすには、目的に合わせて適切な関数を使うだけの知識が求められます。まずは、よく使う関数の使い方をきっちり覚えましょう。

❶ IF関数

　IF関数（イフ関数）は、さまざまな論理式をもとに正しい場合と違う場合で条件分岐を作れる関数です。たとえば、ある数値に対してそれ以上なら〇、それ以下なら×といったことを作ることができます。このIF関数はほかの関数と組み合わせることができ、幅広く活用できるので絶対覚えておくべき関数の1つと言えます。

　なお、IF関数で使う式は以下の通りとなります。

=IF(論理式 , 真の場合 , 偽の場合)

　IF関数の場合、真の場合と偽の場合に引数が絶対に入ると言えないという特徴があります。真の場合と偽の場合に文字列を入れる場合もありますし、セルを指定する場合もあります。

　論理式には必ず引数が入った式になります。次のページから具体的な例を紹介します。

Tips ┃ IF関数の注意点

IF関数ではアルファベットの大文字と小文字は同一のものとして認識します。そのため、大文字は偽、小文字は真、のような形にすることはできません。ほかにも、同じ数値でも左寄せと右寄せでの配置では違うものと認識してしまいます。セルに入力しているデータには注意してIF関数を使いましょう。

それではIF関数を使ってテストの合否を出しましょう。今回は一定の点数以上で合格、それ以下は不合格という条件で表を作成します。

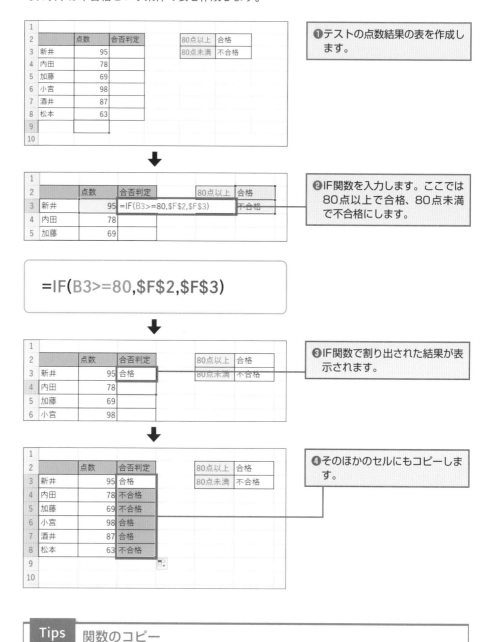

❶テストの点数結果の表を作成します。

❷IF関数を入力します。ここでは80点以上で合格、80点未満で不合格にします。

=IF(B3>=80,F2,F3)

❸IF関数で割り出された結果が表示されます。

❹そのほかのセルにもコピーします。

Tips　関数のコピー

関数のコピーについては、P.97で解説をしています。

092

❷COUNTIF関数

　COUNT関数はデータの個数を数える関数です。それにIF関数が加わった形となり、1つ条件に合うデータの個数を数える**COUNTIF関数**となります。このCOUNTIF関数を使えば特定の文字が入っているセルの個数を数えたり、逆に特定の文字以外のセルの個数を数えたりすることができます。よく使用する例としては、顧客名簿の男性の人数だけ数えたり、ある表の空白セル以外の個数を数えたりします。

　なお、COUNTIF関数で使う式は以下の通りとなります。

=COUNTIF(引数,条件)

それではCOUNTIF関数を使って名簿の男性の人数を出しましょう。

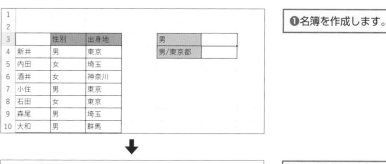

❶名簿を作成します。

❷COUNTIF関数を入力します。

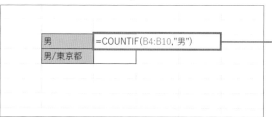

=COUNTIF(B4:B10,"男")

Tips　関数内の文字列

関数の数式に文字列を入れる場合は""（ダブルクォーテーション）で囲みます。

出身地		男	4
東京		男/東京都	
埼玉			
神奈川			
東京			
東京			
埼玉			
群馬			

❸COUNTIF 関数で割り出された結果が表示されます。

COUNTIFS関数

COUNTIF関数に似ている**COUNTIFS関数**というものがあります。これは、COUNTIF関数は条件が1つだけなのに対し、COUNTIFS関数は条件を複数設定することができます。先ほどの例の男性の人数に加えて、東京住まいという条件を加えてさらに絞り込んだ人数を割り出せます。

COUNTIFS関数で使う式は以下の通りとなります。

=COUNTIFS(引数1,条件1,引数2,条件2,…)

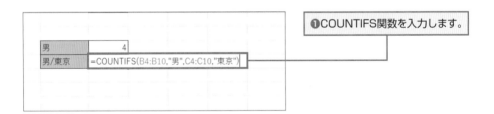

男	4
男/東京	=COUNTIFS(B4:B10,"男",C4:C10,"東京")

❶COUNTIFS関数を入力します。

=COUNTIFS(B4:B10,"男",C4:C10,"東京")

↓

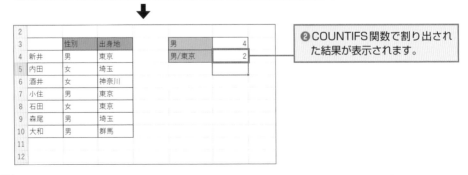

		性別	出身地		男	4
3		性別	出身地		男/東京	2
4	新井	男	東京			
5	内田	女	埼玉			
6	酒井	女	神奈川			
7	小住	男	東京			
8	石田	女	東京			
9	森尾	男	埼玉			
10	大和	男	群馬			
11						
12						

❷COUNTIFS関数で割り出された結果が表示されます。

❸ SUMIF関数

SUM関数はデータの合計を数える関数です。それにIF関数が加わった形となり、1つの条件に合うデータの合計を数える**SUMIF関数**となります。このSUMIF関数を使えば特定の商品のみの売上個数や金額を割り出すことができます。

SUMIF関数で使う式は以下の通りとなります。

=SUMIF(引数,条件,合計範囲)

それではSUMIF関数を使って特定の商品の合計売上金額を出しましょう。

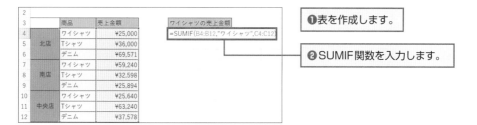

❶表を作成します。

❷SUMIF関数を入力します。

=SUMIF(B4:B12,ワイシャツ,C4:C12)

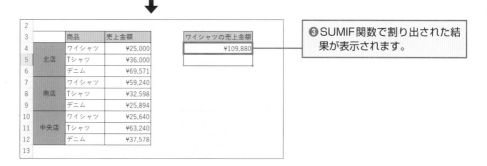

❸SUMIF関数で割り出された結果が表示されます。

Tips　SUMIFS関数

SUMIF関数は条件が1つだけなのに対し、SUMIFS関数は条件を複数に設定した合計を出すことができます

❹ROUND関数

ROUND関数は特定の数値に対し、指定の桁数で四捨五入をする関数です。この
ROUND関数は平均値などを出した際に、小数点以下を四捨五入する際に使う関数です。
ROUND関数で使う式は以下の通りとなります。

=ROUND(**引数,桁数**)

	1		
	2		
	3	数値	1248.72
	4	四捨五入	=ROUND(C3,0)
	5		
	6		
	7		
	8		
	9		

❶数値を入力します。

❷ROUND関数を入力します。

=ROUND(C3,0)

↓

A	B	C	D
	数値	1248.72	
	四捨五入	1249	

❸数値が四捨五入されます。

Tips 1桁目を四捨五入

1桁目を四捨五入するには
「0」を桁数に入力します。

Tips ROUNDUP関数とROUNDDOWN関数

ROUNDUP関数は切り上げ、**ROUNDDOWN関数**は切り捨てができる関数です。

▶▶時短のコツは関数の使い回し

関数をコピーする

　同じ計算をしたときやデータや、別シートで同じ計算を行うとき、すでに作成済みの関数を流用することでゼロから関数を作り直す必要がなくなります。関数は流用を心掛けて、同じ作業を繰り返さない習慣を身に付けましょう。

❶関数のコピー・貼り付けをする

　関数のコピーと貼り付けは、P.51と同じように数式のコピーと同じ方法で行うことができます。しかしここで注意しなければいけないのは、**引数や条件などに入力されているセルを相対参照にするべきなのか、絶対参照なのか、複合参照にするべきなのかを確認する**ことです。

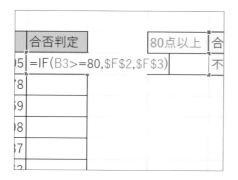

　IF関数のように条件が指定されている場合は、絶対参照にしてからコピー・貼り付けをしましょう。

　絶対参照にしないでコピーした場合は、エラーになってしまう可能性があります。関数によって異なるので、入力しているセルの参照をよく確認しましょう。

Tips コピーと貼り付けのショートカット

ここでも Ctrl + C でコピー、Ctrl + V で貼り付けのショートカットが使えます。

❷オートフィルでコピーする

関数の数式はオートフィルを使って簡単にコピーすることも可能です。ここでもセルの参照方法が重要です。絶対参照や複合参照が必要なセルは絶対に確認しましょう。

COUNTIF関数で割り出された結果に対し、そのほかのセルにオートフィルを使ってコピーします。

	点数	合否判定		80点以上	合
井	95	合格		80点未満	不
田	78				
藤	69				
宮	98				
井	87				
本	63				

絶対参照になっていない場合などの場合はエラー表示が出てしまいます。

	点数	合否判定		80点以上	合
井	95	合格		80点未満	不
田	78	0			
藤	69	0			
宮	98	合格			
井	87	合格			
本	63	0			

Tips SEQUENCE関数

Excel2021とMicrosoft365で新しく登場した**「SEQUENCE関数」**を使うと、数式でオートフィルと同じようなことができます。

=SEQUENCE(行数 , 列数 , 開始値 , 増分)

5行5列の範囲で数列を生成してみます。入力する数式は「=SEQUENCE(5,5, 0.1,2.5)」です。「開始値」は「0.1」、「増分」は「2.5」とすると、右のように入力されるのです。

0.1	2.6	5.1	7.6	10.1
12.6	15.1	17.6	20.1	22.6
25.1	27.6	30.1	32.6	35.1
37.6	40.1	42.6	45.1	47.6
50.1	52.6	55.1	57.6	60.1

▶▶ 知っていればエラーはこわくない！

関数のエラーに対処する

　前項で関数の流用方法で実際に使用してみたら、思ったような出力結果にならない、よくわからない文字列が出力されるということがあるでしょう。なぜ、そうなったのか？という原因さえわかれば、即座に対応可能です。

❶エラーの原因

　関数を使う上で、数式にミスがあるとエラーが発生してしまいます。エラーにはさまざまな種類がありますが、とくに多いのが参照を間違っていることです。絶対参照にしなければいけない部分を相対参照のままにしてしまうと、オートフィルなどで数式をコピーした際に、そのほかのセルはエラーとなってしまうことが多いのです。参照については、P.56を参照してください。**IF系の関数での条件に指定するセルについてはほぼ絶対参照にするといっても過言ではありませんので、気を付けましょう。**

　IF系の関数で条件を絶対参照にしないままオートフィルでコピーすると、コピー先のセルはすべてエラーになってしまいます。

　絶対参照に修正してから再度オートフィルでコピーすると、戻り値がしっかり表示されます。

Tips　エラーでの「0」

エラーとして「0」が表示されることがあります。これはエラー値を省略して表示されている可能性があります。単純に結果が0という場合ではないケースもあるということを覚えておきましょう。

❷エラーの対処例

それではエラーの対処例について確認していきますが、その前にExcelのエラーにはどのような種類があるかどうかを確認しましょう。エラーの種類がわかればどのように対処すればよいかがおのずとわかります。ここでは、とくに多いエラーについて解説をしていきます。

#VALUE!

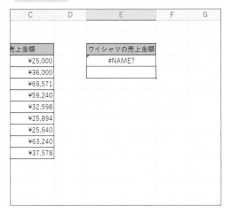

数値を入力するべき数式にスペースや文字などのテキスト情報が入ってると表示されるエラーです。点数のセルに「○○点」などが入っている場合などが多く、「点」という文字を削除することで解決します。

#NAME?

実行する関数の名前自体が間違っている場合か、数式に入力されている値自体が間違っている場合に表示されます。入力されている関数名や値を確認して修正しましょう。

######

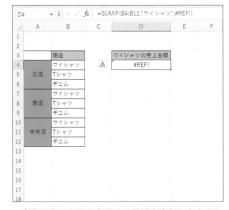

列の幅が足りず、入力した値を表示できない場合に表示されます。セルの列の幅を調整し、値が表示されるようにしましょう。

#REF!

存在しないセルを参照する数式を実行したときに表示されます。必要なくなったセルを削除した際に、そのセルを参照していた関数があると表示されることがあるので、削除する際に確認しましょう。

100

#DIV/0!

	A	B	C	D	E
1					
2	国語	数学	英語		
3	97	62	82	#DIV/0!	
4					
5					
6					
7					
8					

#N/A

数値が0または空のセルで除算している場合に表示されるエラーです。 この場合は、絶対参照になっていないときも表示されるので、まずは参照を確認しましょう。

このエラーも数式で参照している数値が存在しないことを表します。こちらも「#DIV/0!」と同様に参照を確認しましょう。

❸循環参照とは

　循環参照は簡単に言うと、数式で自分が書き込まれているセルを参照することで発生します。たとえば、セル「B3」に「=SUM(B1:B3)」のような自分自身を参照するような数式があれば、循環参照が発生してしまうのです。循環参照が発生した場合、エラーメッセージが表示されます。これを見れば循環参照になっていることに気付くことができ、今設定している数式が間違っていることがわかります。しかし、いつもエラーが発生するとは限りません。**Excelの設定で[反復計算を行う]をオンにして、[最大反復回数]を設定すると、エラーメッセージが表示されなくなってしまいます。**

　循環参照をすると、エラーが表示されます。

　[反復計算を行う]をオンにして、[最大反復回数]を設定すると、エラーメッセージが表示されなくなり注意が必要です。

❹循環参照のエラーを解決する

　循環参照のエラーを解決しましょう。エラーメッセージが表示された段階で、操作していたセルに問題があるということがわかりますが、そのセルだけに問題が起きているとは限りません。オートフィルなどのコピー中に複数のセルに循環参照が起こっている可能性もあります。その場合、ワークシート内で循環参照が起こっているかどうかを確認して、修正を行いましょう。

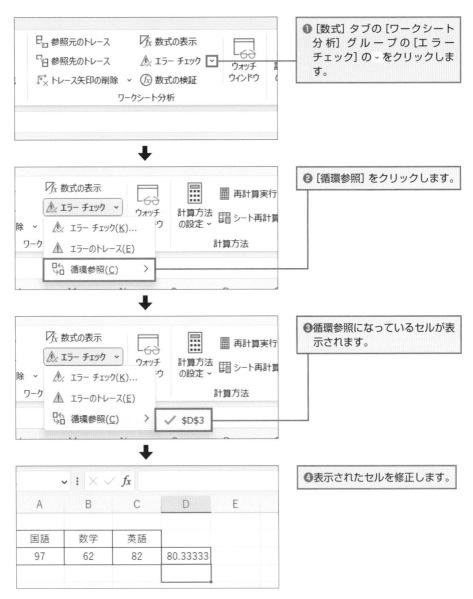

❶ [数式] タブの [ワークシート分析] グループの [エラーチェック] の ˅ をクリックします。

❷ [循環参照] をクリックします。

❸循環参照になっているセルが表示されます。

❹表示されたセルを修正します。

Tips　循環参照のエラーメッセージは2度目は表示されない場合がある

Excel で循環参照が初めて見つかったとき、警告のエラーメッセージが表示されますが、同じブック内で再度循環参照が見つかった場合はエラーメッセージが表示されない場合があります。しかし、以下の場合は再度エラーメッセージが表示される場合がありますが、すべてではないことに注意してください。可能な限りP.102の方法で循環参照を探して修正していきましょう。

- 開いているブックで、循環参照を初めて作成したとき
- 開いているすべてのブックですべての循環参照を削除してから、新しい循環参照を作成したとき
- すべてのブックを閉じ、新しいブックを作成して循環参照を含む数式を入力したとき
- 循環参照を含むブックを開いたとき
- ほかに開いているブックがない場合に、ブックを開いて循環参照を作成したとき

Tips　反復計算

反復計算とは、特定の数値の条件が満たされるまで、繰り返し行われるワークシートの再計算のことです。つまり、循環参照を行うということは、条件が満たされることはないので、場合によっては永遠に計算を行うことになってしまいます。これにより、コンピューターの動作が遅くなる場合があるので、Excel 内では反復計算は通常はオフになっているのです。オンになっている場合は循環参照のエラーメッセージも表示されないので注意しましょう。

［ファイル］タブから［オプション］→［数式］をクリックします。

［計算方法の設定］の［反復計算を行う］のチェックボックスがオフになっていると反復計算はされません。

▶ ▶ **データ群を簡単処理！**

配列定数を活用する

配列とは列と行で並んだデータの集まりです。 表などで並んだデータ群をイメージしていただければよいでしょう。配列定数は決められたデータを1つの塊として扱います。配列定数は活用方法さえわかれば、非常に有用です。実際に活用方法を見ていきましょう。

❶配列定数とは

Excel における**配列定数**とは、表のような構造のデータを、テキストを使って表現するものです。VLOOKUP 関数などではまず Excel にデータを入力した上で、引数にセル範囲を使って対象のデータを指定しますが、**配列定数を使用することで実際にExcelでデータが入力されていなくても対象のデータを指定することができます。**この説明ではよくわからないと思いますが簡単に言うと、今までに解説してきたVLOOKUP系の関数では、表の外に別のマスター表を用意して、そこから関数で引っ張ってきていたのを、配列定数を使うとその別のマスター表が必要なくなるというわけです。まずは配列定数の基本を見ましょう。

- 「{}」波括弧…データ全体
- 「,」カンマ…列
- 「;」セミコロン…行

たとえば、1行3列の表を配列定数で表すと「{"A", "B", "C"}」となります。

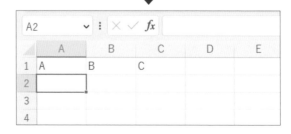

❷配列定数を活用する

それではVLOOKUP関数で配列定数の詳しい使い方を確認しましょう。今回は会員別に景品を分けるやり方です。「一般会員」には「ハンドクリーム」、「プレミアム会員」には「コスメセット」、「シニア会員」には「化粧水」を割り当てます。

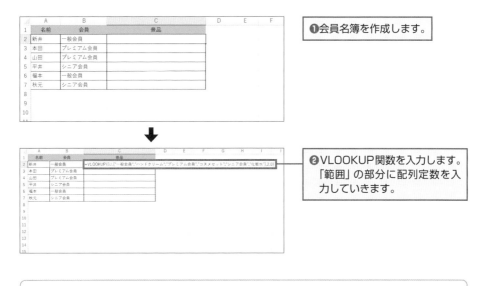

❶会員名簿を作成します。

❷VLOOKUP関数を入力します。「範囲」の部分に配列定数を入力していきます。

=VLOOKUP(B2,{"一般会員","ハンドクリーム";"プレミアム会員","コスメセット";"シニア会員","化粧水"},2,0)

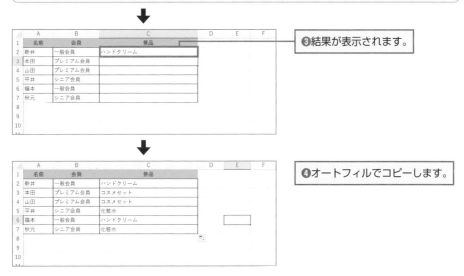

❸結果が表示されます。

❹オートフィルでコピーします。

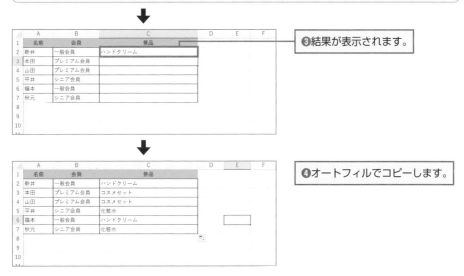

▶▶ データ検索に超便利！

VLOOKUP関数で必要なデータのみ取り出す

すでに膨大なデータが入力されている表から、必要なデータだけをまとめたい。業務の中でそういったケースが発生することもあるのではないでしょうか。目視でデータを確認し、コピペでデータをまとめていては効率や正確性を損ねてしまいます。**VLOOKUP関数**を覚えることで、的確に必要なデータを検索しまとめていきましょう。

❶VLOOKUP関数とは

VLOOKUP関数とは、検索条件に一致するデータを指定範囲の中から探して表示してくれる関数です。特定の値で表を検索し、表の中の必要な情報を抽出することができます。また、もとになるデータから値を取得することで、数字や文字の間違いや表記のブレを防ぐこともできます。VLOOKUP 関数の活用例としては、「商品コードから商品情報を抽出する」「顧客コードから氏名や住所などの顧客情報を取り出す」などがあります。さまざまな表から必要な情報を抽出することが主な用途ですが、応用としてデータの抜け漏れチェックや表の結合などにも利用できます。VLOOKUP関数で使う式は以下の通りとなります。

=VLOOKUP(引数 , 範囲 , 列番号 , 検索方法)

Tips 検索方法

検索方法には、近似値を含めて検索する場合は「TRUE」、完全一致の値を検索する場合は「FALSE」を入力します。基本的には「FALSE」を入れることが多いです。

❷ VLOOKUP関数を活用する

それではVLOOKUP関数を活用して、商品コードから商品情報を抽出する例を見ていきましょう。商品一覧の表には、コードと商品名と分類と単価を入力します。そこから、商品コードを使って商品名と単価のみを抽出してみましょう。まずは商品名からです。

❶商品コード一覧の表を作成します。抽出した結果を表示する表も作成します。

❷抽出するセルにVLOOKUP関数を入力します。

$$=VLOOKUP(A3,A6:D12,2,FALSE)$$

❸抽出された商品名が表示されます。

Tips　列番号

列番号には、範囲で指定した表の左から何番目の数字を入れます。ワークシートの列のアルファベットではないので注意しましょう。

それでは同様に単価も抽出してみます。

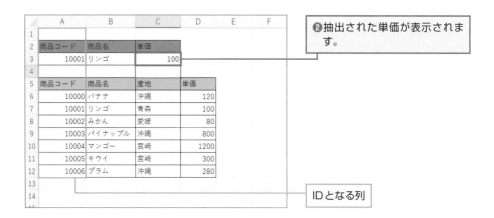

	B	C	D	E	F
	商品名	単価			
	リンゴ	=VLOOKUP(A3,A6:D12,4,FALSE)			
	商品名	産地	単価		
	バナナ	沖縄	120		
	リンゴ	青森	100		
	みかん	愛媛	80		
	パイナップル	沖縄	800		
	マンゴー	宮崎	1200		
	キウイ	宮崎	300		

❶抽出するセルにVLOOKUP関数を入力します。

=VLOOKUP(A3,A6:D12,4,FALSE)

	A	B	C	D	E	F
1						
2	商品コード	商品名	単価			
3	10001	リンゴ	100			
4						
5	商品コード	商品名	産地	単価		
6	10000	バナナ	沖縄	120		
7	10001	リンゴ	青森	100		
8	10002	みかん	愛媛	80		
9	10003	パイナップル	沖縄	800		
10	10004	マンゴー	宮崎	1200		
11	10005	キウイ	宮崎	300		
12	10006	プラム	沖縄	280		
13						
14						

❷抽出された単価が表示されます。

IDとなる列

Tips VLOOKUP関数が使えない？

作成した表によっては、VLOOKUP関数が使えない場合があります。以下の条件があると
VLOOKUP関数を入力してもエラーになってしまう可能性があるので確認しましょう。また
IDとなる列はいちばん左に配置しておかないと抽出できません。

- IDとなる列がないとき
- 表のどこかに空欄があるとき
- 結合したセルがあるとき

Tips VLOOKUP関数は複数条件では使うことができない。

VLOOKUP関数では複数の条件を指定して、値を抽出することができません。たとえばセル同士を「&」で結んでもエラーが表示されてしまいます。VLOOKUP関数を使う際は条件は1つと覚えましょう。また、VLOOKSUPといった関数も2023年2月現在では存在しません。なお、複数条件で抽出する特殊な方法があるのですが、非常に複雑なので本書では解説をしません。

条件の複数のセルを「&」で結んでも、

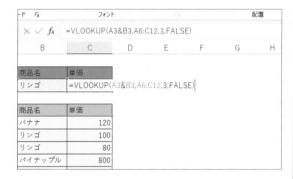

エラーが出てしまい、複数条件で抽出ができません。

Tips VLOOKUP関数のメリットとデメリット

メリット

- 引数が少なくて使いやすい（数式が短い）
- なにを求めているかが分かりやすい（認知度の差）

デメリット

- 検索列の指定ができない（検索列（ID列はつねに一番左に配置））

▶▶ コレでデータ検索は完璧！

XLOOKUP関数で必要なデータのみ取り出す

　前項でVLOOKUP関数は理解できたでしょうか。本項では**XLOOKUP関数**について見ていきます。XLOOKUP関数では検索したい範囲を表などで指定することができます。ここまでマスターすればExcelのデータ取得に関してはマスターしたも同然です。データを自由自在に操り、あなたのための時間を手に入れましょう！

❶ XLOOKUP関数とは

　XLOOKUP関数とは検索条件に一致するデータを指定範囲の中から探して表示してくれる関数です。特定の値で表を検索し、表の中の必要な情報を抽出することができます。ここまで聞くとVLOOKUP関数とまったく同じですが、同じような機能を持っているというだけで、もちろん違う関数です。VLOOKUP関数の場合、引数となるID列は表の一番左に配置されてなければいけないという弱点があります。しかし、**XLOOKUP関数では、引数の列が違う範囲でも検索ができるというメリットがあります**。しかし、その分VLOOKUP関数より数式が複雑になるというデメリットもあるので、うまく使い分けましょう。関数で使う式は以下の通りとなります。一致モードについて詳しくはP.112、検索モードについて詳しくはP.113を参照してください

> =XLOOKUP(引数（検索値）,範囲,戻り値範囲,見つからない場合,一致モード,検索モード)

Tips XLOOKUP関数でスピル機能を活用できる

XLOOKUP関数はスピル機能（P.80参照）に対応しています。縦にスピルする場合は、「引数（検索値）」に1列×複数行を指定すると、同じ行数だけ縦方向にスピルします。横にスピルする場合は、「戻り値範囲」に複数行×複数列を指定すると、同じ列数だけ横方向にスピルします。

❶ XLOOKUP関数を活用する

それではXLOOKUP関数を活用して、VLOOKUP関数と同様に商品コードから商品情報を抽出する例を見ていきましょう。今回は商品コードの位置が一番左になっていない例となっています。

❶商品コード一覧の表を作成します。抽出した結果を表示する表も作成します。

❷抽出するセルにXLOOKUP関数を入力します。

=XLOOKUP(A3,B6:B12,A6:A12,"該当なし",0)

❸抽出された商品名が表示されます。

Tips 見つからない場合

数式の中の「見つからない場合」の部分は、実際に見つからなかった場合に表示される文字を入力します。上記の例では、「該当なし」と表示されるように設定しています。

それでは同様に単価も抽出してみます。

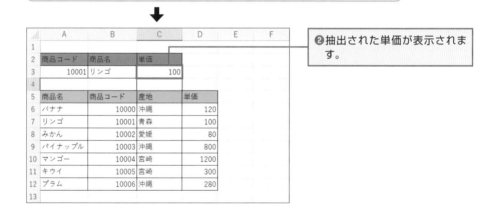

●抽出するセルにXLOOKUP関
数を入力します。

=XLOOKUP(A3,B6:B12,D6:D12,"該当なし",0)

●抽出された単価が表示されま
す。

❸ HLOOKUP関数の活用

　VLOOKUP関数とXLOOKUP関数の仲間に**HLOOKUP関数**というものもあります。違いとしては、VLOOKUP関数は列に対してデータを抽出するに対し、HLOOKUP関数は行に対してデータを抽出します。これだけの違いです。あとは同じものです。

=HLOOKUP(引数 , 範囲 , 行番号 , 検索方法)

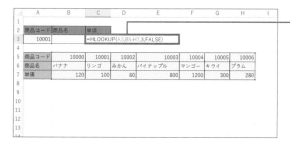

❶抽出するセルにHLOOKUP関数を入力します。

=HLOOKUP(A3,A6:D12,4,FALSE)

❷抽出された単価が表示されます。

Tips　検索モードとは

　式内に入れる**「検索モード」**とは、どのように検索するかということを指定するということです。「1」を入力した場合、引数が1列なら上から下へ、1行なら左から右へ検索します。「-1」を入力した場合、引数が1列なら下から上へ、1行なら右から左へ検索します。なお、検索モードは省略することができ、何も入力しない場合は、「1」を入力した場合と同じになります。

▶▶ **確実な範囲選択が可能になる！**

名前の定義をする

VLOOKUP関数やXLOOKUP関数を使用する際には、表の範囲に名前を定義するとさらに便利になります。一回名前を定義してしまえば、参照の対象にはその名前を設定すれば一瞬です。

❶名前の定義とは

Excelで関数を挿入するときに、範囲選択をミスしてしまうことがあります。**「範囲選択に失敗し再度選択することになってしまった」「絶対参照を忘れてコピーでエラーが出てしまった」など、作業の致命的な遅れの原因になりかねません。** このような場合は、セルの範囲に名前を付ける**「名前の定義」機能**を利用するとよいでしょう。対象となる範囲は、表全体でも、列や行の特定のセル範囲でも構いません。

	A	B	C	D
2	商品コード	商品名	単価	
3	10001	リンゴ		100
4				
5	商品コード	商品名	産地	単価
6	10000	バナナ	沖縄	120
7	10001	リンゴ	青森	100
8	10002	みかん	愛媛	80
9	10003	パイナップル	沖縄	800
10	10004	マンゴー	宮崎	1200
11	10005	キウイ	宮崎	300
12	10006	プラム	沖縄	280
13				

VLOOKUP関数などの場合では、「範囲」に含まれるセルに名前を定義しておくと便利です。次のページから名前の定義の方法と活用法を確認しましょう。

❷名前の定義を活用する

それでは名前の定義を活用した例を見ていきましょう。ここでは、表の名前を定義し、VLOOKUP関数で活用する方法を確認していきます。

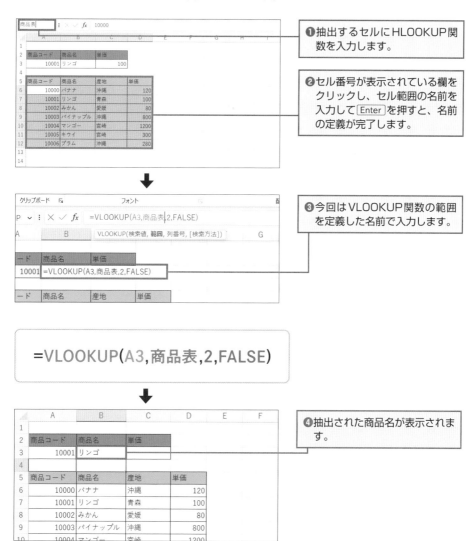

❶抽出するセルにHLOOKUP関数を入力します。

❷セル番号が表示されている欄をクリックし、セル範囲の名前を入力して[Enter]を押すと、名前の定義が完了します。

❸今回はVLOOKUP関数の範囲を定義した名前で入力します。

=VLOOKUP(A3,商品表,2,FALSE)

❹抽出された商品名が表示されます。

Tips 定義した名前は""で囲まなくてもOK

名前を定義したセルの範囲を数式に入力する際は、文字を""で囲まなくても認識されます。

▶▶気付きづらい計算ミスを見つける！

セルに入力された数式を検証する

　関数による計算が敷き詰められた資料だとセルの数値がどのように算出されているかわからないことがあります。何の数値かわからないまま資料をいじってしまうと、もとに戻すことができないといったトラブルを引き起こす可能性があります。そこで数値がわからないときなどは**数式の検証**でトラブルを回避しましょう。

❶数式の検証とは

　Excelは「入力された数式を正確に計算する」ことはできますが、数式に間違いがあれば、そのまま間違った計算を行ってしまいます。また、数式が「0で割ることはできない」といった数式のルールに違反していた場合、エラーが表示されますが、**ルールに違反していなければ、数式に間違いがあっても計算を実行して結果を表示してしまいます**。つまり入力した数式の計算手順に間違いに気付くためには、入力した数式を見直す必要があるのです。とくに複数の関数を含む計算式を入力してエラーが表示されると、誤りがある箇所の特定が難しい場合があります。

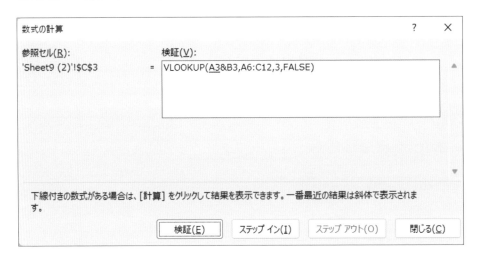

　[数式の計算] ダイアログボックスでセルに入力された数式の検証を行うことができます。

❷数式の検証をする

それでは数式の検証をしましょう。ここでは、最終計算されたセルの参照元も数式が設定されている例で紹介します。

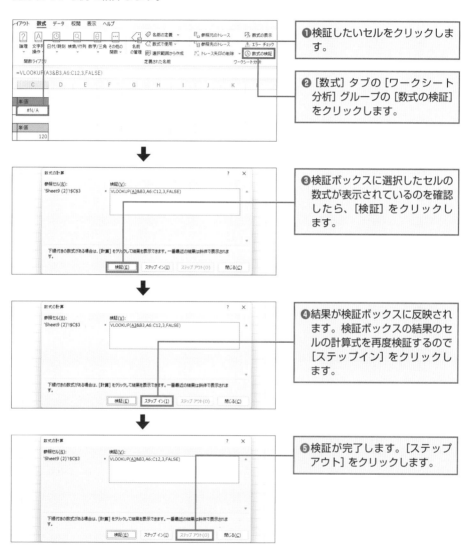

❶検証したいセルをクリックします。

❷ [数式] タブの [ワークシート分析] グループの [数式の検証] をクリックします。

❸検証ボックスに選択したセルの数式が表示されているのを確認したら、[検証] をクリックします。

❹結果が検証ボックスに反映されます。検証ボックスの結果のセルの計算式を再度検証するので [ステップイン] をクリックします。

❺検証が完了します。[ステップアウト] をクリックします。

Tips 途中でエラーが表示された場合

途中でエラーが表示された場合は、その検証した部分を修正しましょう。

▶▶ 表をさらに使いやすくするために！

テーブルを活用する

テーブルとはExcelの表を随時カスタマイズする際に、便利な機能です。表をテーブルにすることで追加したデータの書式を自動で表と同じものに設定してくれます。一回テーブルにするだけで、それから先の作業を短縮できます。テーブルは積極的に活用したい機能です。

❶テーブルとは

Excelで作成した表はテーブルを使うと便利に扱うことができます。表の書式設定や色分けが自動で行われ、その後のデータ分析や追加なども簡単に行えます。**テーブルに設定するだけで、フィルター機能を使うことができたり、見出しが自動的に固定されたり、表のスタイルが設定されたりするなど、見た目だけでなく、便利な機能を使うことができるのです。**

No	名前	入会日	クラス	年齢
1	山田　恵美子	4/2	初級	62
2	水野　一夫	4/2	中級	24
3	今原　桂子	4/2		48
4	河井　保美	4/4	初級	22
5	袴田　かな	4/7	上級	59
6	青木　小夜子	4/7		38
7	秋山　瑞穂	4/10	中級	19
8	神田　慶子	4/11	初級	61
9	沢渡　哲夫	4/14	中級	25
10	諏訪　映子	4/14	中級	65
11	藤原　海斗	4/18	初級	27
12	坂東　隆子	4/21	中級	20
13	石巻　美香	4/21	初級	34
14	小松原　まき	4/21	中級	36
15	髙見　一樹	4/21	初級	45
16	市原　雅巳	4/25	初級	31
17	佐々木　慎二	4/25	初級	28
18	栗山　悦子	4/25	中級	56
19	門脇　美喜	4/26	初級	61
20	扇　真弓	4/28	上級	19
21	山城　美佐子	4/30	中級	43
22	寺山　伸二	4/30	初級	29

テニススクール　入会者リスト

表にテーブルを設定するだけで、見た目のスタイルも変更することができ、見栄えがよくなります。

118

❷テーブルを設定する

表にテーブルを設定してみましょう。ここではテーブルに設定したあとにフィルターでデータを取り出すまでの手順を確認してみます。

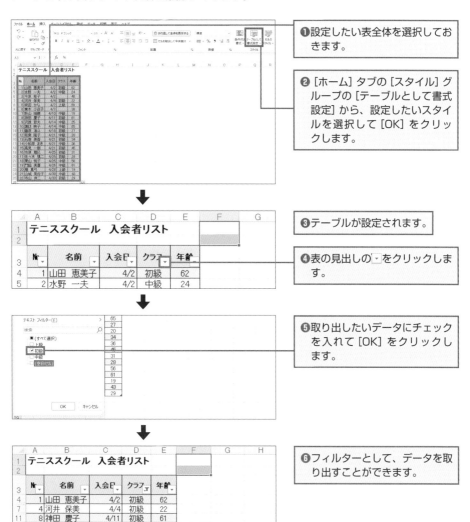

❶設定したい表全体を選択しておきます。

❷[ホーム] タブの [スタイル] グループの [テーブルとして書式設定] から、設定したいスタイルを選択して [OK] をクリックします。

❸テーブルが設定されます。

❹表の見出しの をクリックします。

❺取り出したいデータにチェックを入れて [OK] をクリックします。

❻フィルターとして、データを取り出すことができます。

Tips [挿入] タブから設定する

[挿入] タブの [テーブル] グループの [テーブル] からも設定できますが、手順❷のやり方では同時にスタイルも設定できるのでこちらをおすすめします。

▶▶データが大量になってもこわくない！

ピボットテーブルを活用する

　ピボットテーブルは、データが膨大に集計された表を集計や分析する際の強い味方です。本項では基本的なピボットテーブルの扱い方を紹介します。ピボットテーブルを使用するためのルールを理解して、実務に活かすための基礎を身に付けましょう。

❶ピボットテーブルとは

　ピボットテーブルは、大量のデータをもとにさまざまな集計を行ったり、分析したりできる機能です。 さらに、元のデータを「顧客ごとの売上金額」「支社ごとの売上金額」などの複数の項目別に集計したり、それらの集計項目を入れ替えたりするなど、できることは多岐にわたります。テーブルでも問題ないと思われるかもしれませんが、そんなことはありません。以下の例のように莫大な量の表から簡単に集計表を作ることができるので、どの商品がどの月にどれくらい売り上げているかなどが直感的にわかるのです。

行ラベル	合計 / 3月	合計 / 4月
Tシャツ	68	72
コート	27	10
ジャケット	35	25
デニム	65	35
ブルゾン	38	21
ワイシャツ	98	99
総計	331	262

　ピボットテーブルを作成すると、「行」または「列」と値に知りたいデータを入れるだけで簡単に集計表が表示されます。

❷ピボットテーブルを設定する

それではピボットテーブルを作成しましょう。今回は売り上げ表からどの商品が何月にどれくらい売れているのかを確認する集計表を作ります。

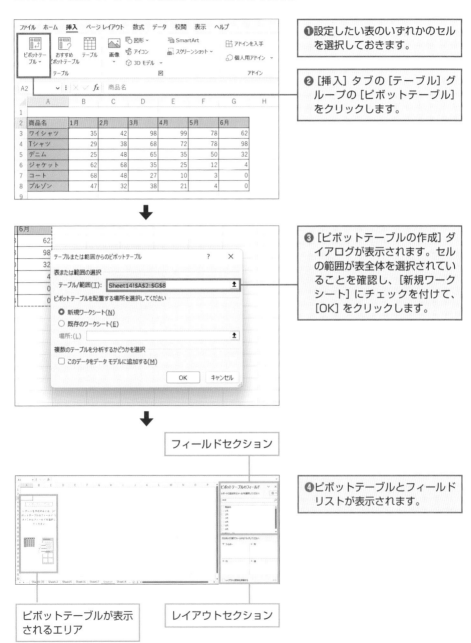

❶設定したい表のいずれかのセルを選択しておきます。

❷ [挿入] タブの [テーブル] グループの [ピボットテーブル] をクリックします。

❸ [ピボットテーブルの作成] ダイアログが表示されます。セルの範囲が表全体を選択されていることを確認し、[新規ワークシート] にチェックを付けて、[OK] をクリックします。

フィールドセクション

❹ピボットテーブルとフィールドリストが表示されます。

ピボットテーブルが表示されるエリア

レイアウトセクション

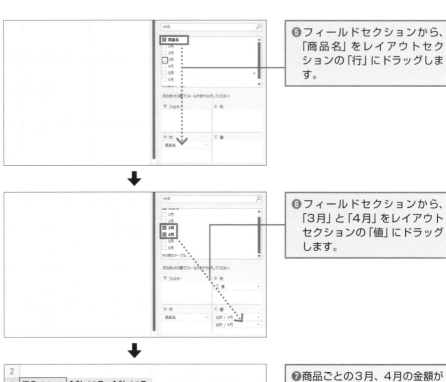

❺ フィールドセクションから、「商品名」をレイアウトセクションの「行」にドラッグします。

❻ フィールドセクションから、「3月」と「4月」をレイアウトセクションの「値」にドラッグします。

❼ 商品ごとの3月、4月の金額が集計されました。

行ラベル	合計 / 3月	合計 / 4月
Tシャツ	68	72
コート	27	10
ジャケット	35	25
デニム	65	35
ブルゾン	38	21
ワイシャツ	98	99
総計	331	262

Tips　セクションを入れ替える

レイアウトセクションにドラッグしたデータを入れ替えることで簡単に集計表を変更できます。

Tips　ピボットテーブルを作る際の注意点

以下のルールが守られていないセルが表に混ざっているとピボットテーブルが正しく認識されませんので注意しましょう。

- フィールド名は必ず入れる
- 結合セルは入れてはいけない
- 空行は作らない

第 **4** 章

速くキレイに仕上げる資料、
グラフ作成術

データを見やすくすることは
資料の品質を上げること！

　3章までで、データをレイアウトしていくときのテクニックを紹介しました。本章からはレイアウトしたデータを見やすい資料として仕上げていく方法について見ていきます。

　数値などの膨大なデータについて、データの意味や強調したい箇所を直観的に伝える方法としてグラフが有効です。 グラフにも目的に合わせて種類がたくさんあります。仕事では、状況に適したグラフを選び、使うことが求められます。本章を通して、グラフを的確に扱えるようになりましょう。

　資料として、見やすさを向上させる要素としてもう1つ挙げられるのが、図や画像といったオブジェクトでしょう。強調したいメッセージを挿入した図に入れ込んだり、イメージが伝わるようなイラストや画像を盛り込んだりと、少しの工夫をすることであなたの資料はより見やすくなります。

　資料の品質をしっかり意識しながら作業をすることは、結果として仕事の手戻りを減らし、修正の時間を削減していくことに繋がります。 さらには、資料を見たチームメンバーなどの第三者にも内容がすぐ伝わり、チーム全体の工数削減にも繋がるでしょう。

　資料を見やすくする手間を惜しまずに、本章の内容を是非実践してみてください！

▶▶すばやく！　キレイな資料を作る！　の基本

Excelに画像や図形を挿入する

　資料を作成する際にはデータだけでなく、画像や図形などを入れることもあるのではないでしょうか。本項では、画像や図形をどのように使用したらキレイに資料を作れるか解説していきます。

❶画像を挿入する

　Excelには画像を挿入することができます。たとえば、商品表の横に商品の実際の画像を載せると、商品担当者じゃない人が見てもどういう商品なのかが見てわかるようになります。パソコンに保存している画像を簡単に挿入することができ、なおかつExcel内に自由に配置して大きさも変更することができます。

　Excel内には自由に画像を配置できます。[挿入]タブの[図]グループの[画像]をクリックしましょう。

　配置した画像は自由に大きさを変更することもできます。配置と大きさの変更はドラッグ操作で行います。

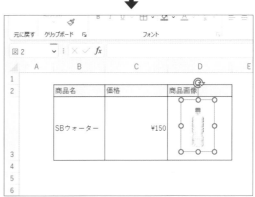

❷図形を挿入する

Excelには図形を挿入することもできます。図形を使う場面は少ないように思いますが、**たとえば売上表の横にフローチャートを組み込むなどが可能です。図形には文字を挿入することもできます。**

Excel内には自由に図形を配置できます。[挿入] タブの [図] グループの [図形] をクリックしましょう。

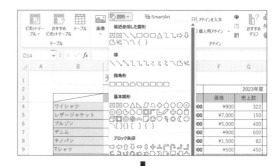

配置した図形は自由に大きさを変更することもできます。配置と大きさの変更はドラッグ操作で行います。

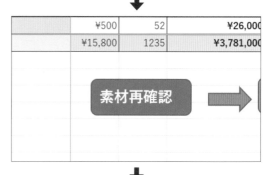

図形を組み合わせることでフローチャート図を作成することもできます。

▶▶見やすい資料とはなにか理解しよう！

テーブルのデザインを変更する

　前項までは作業するうえでの効率を優先的に考えた項目を見ていきました。ここでは、**「見てもらう資料」というのを前提に、仕事するうえで「見やすくするべきデータ」をどうすれば見やすくできるかを説明していきます。**

❶テーブルのデザインを変更する

　P.118でテーブルを作成しました。作成したテーブルはあとからデザインを変更することも可能です。テーブルにはスタイルというものがあり、あらかじめExcel内にいくつかのデザインのテンプレートがあるので、これを利用しましょう。またテーブルスタイルのオプションも追加できます。

　テーブルを選択した状態で [テーブルデザイン] タブの [テーブルスタイル] グループから変更したいデザインに変更できます。

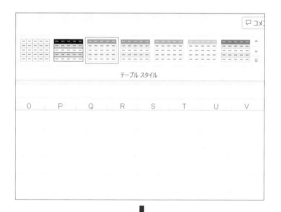

> **Tips**　[テーブルデザイン] タブ
>
> [テーブルデザイン] タブは、テーブル内のセルを選択することで表示できます。

　[テーブルスタイルのオプション] では、[見出し行] や [集計行] のみに色を付けたり、[最初の列] や [最後の列] のみを目立たせたりすることもできます。

▶▶ **目的から理解してグラフを効果的に扱おう！**

グラフを作成する

　数値だけでは何をまとめたデータなのかを一目で判断することは難しいものです。**グラフはデータの特徴を直感的に伝えることのできるツールです。**本項ではデータをどのようにグラフにすると効果的か見ていきます。

❶グラフを作成する

　Excelのメインとなる機能の1つにグラフの作成があります。これは、Excel内で作成した表に基づいた表を簡単に作成できるという機能です。売り上げの棒グラフや売れている商品の比率を円グラフで表現するなど、用途はさまざまです。

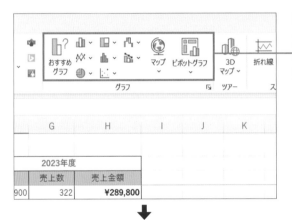

❶表のセルを選択しておき、[挿入] タブの [グラフ] グループから挿入したいグラフを選択します。

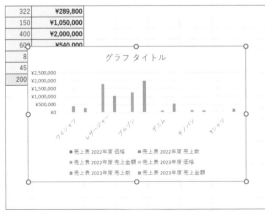

❷グラフが挿入されます。

❷作成できるグラフの例

縦棒グラフ

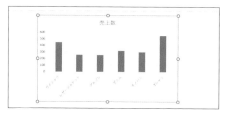

データの大きさを比較
ex) 地域別売り上げ

円グラフ

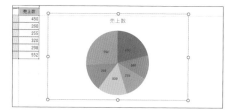

データの割合と示す
ex) 購入者の年代の割合

面グラフ

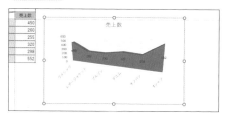

商品カテゴリ全体の比率や総量を表す
ex) 商品カテゴリの売り上げと総量と比率を比較

ヒストグラム

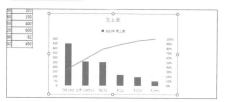

データの度数分布をグラフにしたもの
ex) テストの点数分布

折れ線グラフ

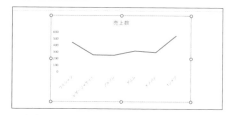

時系列で変化を見る
ex) 年間の売り上げ推移

横棒グラフ

項目ごとのデータの大きさを比較
ex) 商品カテゴリ別売り上げ

散布図

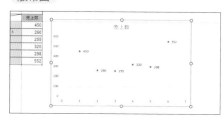

2つのデータの相関関係
ex) 雨の日と雨具の関係

レーダー

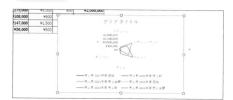

複数のデータを比較
ex) 2022年と2023年の商品Aの売り上げを比較

▶▶ **目的別のグラフ活用**

グラフの種類を変更する

　扱うデータによって、表すべきグラフの種類も異なります。 そこで本項ではどのようなケースではどのようなグラフが適しているか、また、グラフを変更する際の手順について見ていきます。

❶グラフの種類を変更する

　一度作成したグラフは、あとから種類を変更することができます。売り上げ表を縦棒グラフで作成したけれど、あとから折れ線グラフに変更して推移をわかりやすくしたいといった場合に活用することができます。

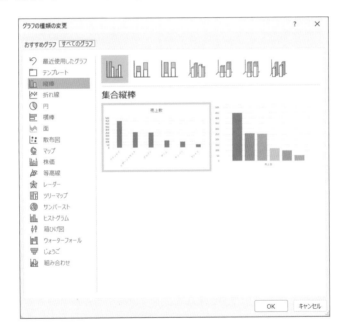

Tips　おすすめグラフ

グラフの種類を選択する際に **[おすすめグラフ]** から選択することができます。選択している表に基づいて最適だと思われるグラフをExcelが選んでくれるのです。

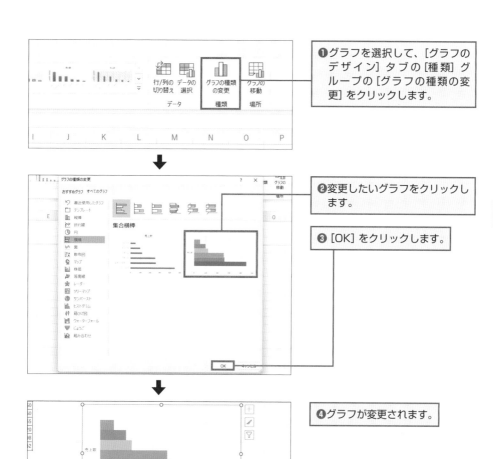

❶グラフを選択して、[グラフの デザイン] タブの [種類] グ ループの [グラフの種類の変 更] をクリックします。

❷変更したいグラフをクリックし ます。

❸ [OK] をクリックします。

❹グラフが変更されます。

Tips クイックレイアウト

グラフの**クイックレイアウト**とは、グラフ の要素を簡単にレイアウトしてくれる機能 です。要素については、P.135 で解説をし ています。

クイックレイアウトを使うことで、追加し たい要素に悩まずにテンプレートとして要 素を追加することができます。なお、レイ アウトはグラフの種類によって異なります。

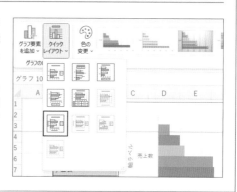

▶▶ **グラフを見やすく作るコツ**

グラフの色を変更する

Excelでグラフを作成する際には、様々なグラフを並行して見せるケースが多くなるでしょう。どのグラフが何を表しているか見やすくするためにグラフごとに色を変えるという方法があります。使用に適している色など見ていきます。

❶グラフの色を変更する

グラフを作成すると、初期設定では青を中心としたグラフが作成されます。イメージに合わせて色味を変更してみましょう。**表の色などに合わせてグラフの色も変更すると、統一感が出て見栄えが良くなります。**

グラフを選択して、[グラフのデザイン] グループの [グラフスタイル] グループの [色の変更] から設定します。

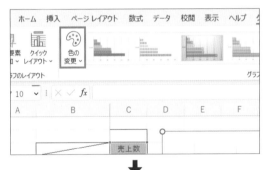

色はグループごとに設定されているので、イメージに合うグループを選択しましょう。

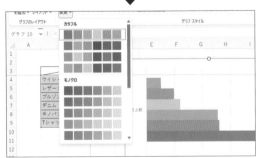

Tips   グラフスタイル

グラフには**スタイル**というものもあります。これは色味だけでなく、グラフ自体のデザインを変更することが可能です。

▶ ▶ グラフの行と列を入れ替える

グラフの行と列を入れ替える

　たとえば月次の売り上げをまとめたグラフを作ろうとしたとき、縦軸と横軸を入れ替えるだけで見えてくるポイントが変わっていきます。伝えたい内容に合わせて縦軸、横軸を変更していきましょう。

❶グラフの行と列を入れ替える

　たとえば売上表のグラフを作成した際に、「商品についての月ごとの売り上げのグラフ」として表示されたとします。このままでもよいのですが、あとから逆に「月ごとについての商品の売り上げのグラフ」に変更したい場合、グラフの行と列を入れ替えるだけで簡単に設定できます。

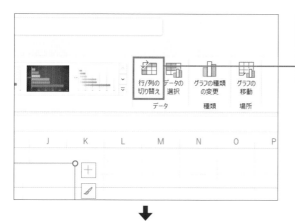

❶グラフを選択して、[グラフのデザイン] タブの [データ] グループの [行/列の切り替え] をクリックします。

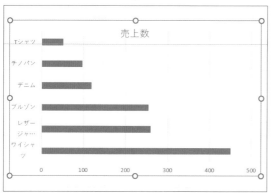

❷行と列が入れ替わったグラフに変更されます。もう一度クリックすると、もとに戻ります。

▶▶ ポイントをしっかり伝えるグラフ作成テクニック

グラフの選択範囲を変更する

　説得力のあるグラフを作成したり、強調したい数字に注目してもらいたいときなどにはグラフの範囲を工夫すると効果的です。「売り上げがここ3か月でこんなに伸びています！」と伝えるときに、去年の範囲を含めても意味ないですよね。

❶グラフの選択範囲を変更する

　売上表などのグラフを作成した際に、たとえば「年間の売上グラフを作成したが1〜3月分のみの売上のグラフに変更したい」といった場合があります。**そのようなときは新たにグラフを作成し直すのではく、グラフにしているセルの選択範囲を変更するだけで簡単に行えます。**

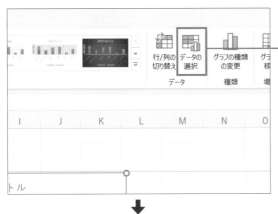

❶グラフを選択して、[グラフのデザイン] タブの [データ] グループの [データの選択] をクリックします。

❷ [グラフデータの範囲] でセルの範囲を設定し直し、[OK] をクリックします。

▶ ▶ さらにグラフを自由自在に操る

グラフの要素を変更する

　グラフの要素を変える方法や変更の際のポイントなどを見ていきます。ここまでマスターすればグラフで困ることはないでしょう。さらにP.151の「スパークラインを活用する」も併せてご覧ください。

❶要素を追加する

　グラフには**要素**と呼ばれる、項目を追加することができます。要素には、グラフタイトルや、軸ラベル、目盛線などがあります。たとえば、縦棒グラフの棒の先端にデータラベルを追加することで、その棒が示す数値が表示されるようになります。**よりわかりやすいグラフにすることができるので、要素についてここでしっかり学んでいきましょう。**まずは要素の追加の方法を確認します。

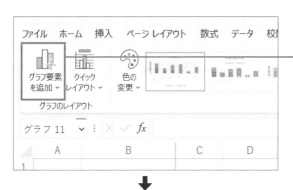

❶グラフを選択して、[グラフのデザイン] タブの [グラフのレイアウト] グループの [グラフ要素を追加] をクリックします。

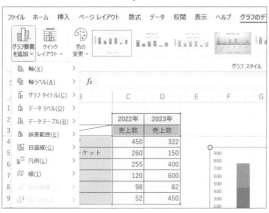

❷追加したい要素を選択します。

それでは追加できる要素について確認してみましょう。なお、追加できる要素はグラフによって異なる点に注意しましょう。ここでは縦棒グラフで追加できる要素について紹介します。

軸ラベル

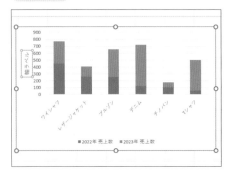

軸となっている項目の文字を入れることができます。

グラフタイトル

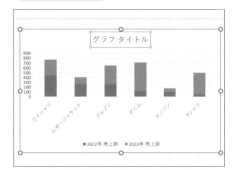

グラフのタイトルを入れることができます。

データラベル

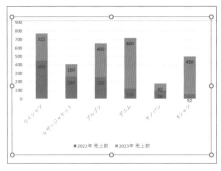

グラフ内に数値が表示されます。

誤差範囲

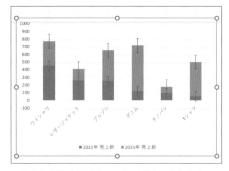

設定した誤差範囲までの範囲が表示されます。

目盛線

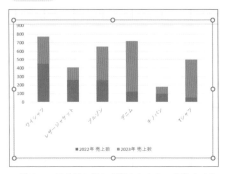

グラフの目盛線を細かく設定したり、幅を広くしたりできます。

近似曲線

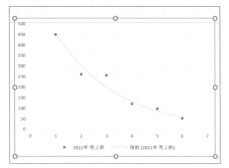

グラフの数値に合わせて近似曲線が表示され、右肩上がりか下がりかなどを判別できます。

❷要素を入力する

軸ラベルやグラフタイトルには要素として文字を入力することができます。なお、グラフタイトルはP.135で追加をしていなくても最初から表示されている場合もあります。

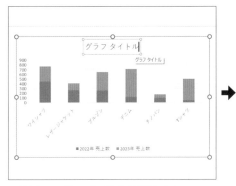

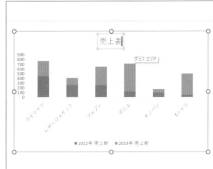

例として、グラフタイトルを選択します。

文字を入力して Enter を押すだけで簡単に入力が完了します。

❸要素の書式を変更する

グラフの要素には書式を設定することができます。まずは軸ラベルやグラフタイトルに関する文字の書式について確認しましょう。文字については、P.37のセルの書式と同様に行うことができます。

文字を入力している要素を選択し、[ホーム] グループの [フォント] グループから設定できます。

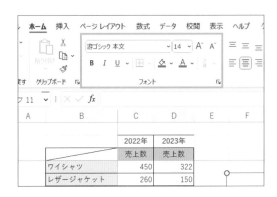

Tips ワードアート

要素には**ワードアート**を設定することもできます。[書式] タブの [ワードアートのスタイル] から設定しましょう。

4

速くキレイに仕上げる資料、グラフ作成術

137

次にそれ以外の要素について確認します。誤差範囲の線や近似曲線の線の色などを変更しましょう。

要素を選択し、[書式] グループの [図形のスタイル] グループから設定できます。

❹要素を削除する

追加した要素が必要なくなり、削除したい場合は方法が2つあります。1つ目は [グラフ要素を追加] から [なし] を選択する方法で、2つ目は要素を選択して Delete で直接削除する方法です。2つ目の方が簡単に削除することが可能なのですが、データラベルなど複数ある要素については1つ1つ削除するのは手間なので、[なし] を選択してしまう方が簡単です。

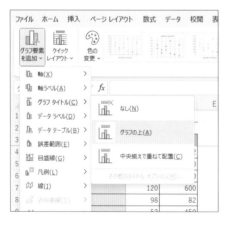

[グラフのデザイン] タブの [グラフのレイアウト] グループの [グラフ要素を追加] から [なし] を選択します。

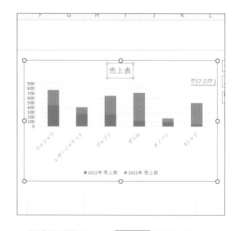

要素を選択して、Delete を押します。

▶ ▶ コメントはチームでの資料作りには欠かせない機能

Excelにコメントを入力する

Excelにはコメントを残せる機能があります。他の人に作業を依頼する際などはExcelに
コメントをしましょう。またコメントを表示する方法、非表示にする方法も見ていきます。

❶コメントを入力する

複数人で同じExcelデータを渡しながら作業をしている場合、メールや口頭だけではうま
く指示が伝わらず、結果的にデータの作成に時間がかかってしまうことも少なくありませ
ん。そういう場合は、**セルに直接コメントを入力して指示をしてしまいましょう。**セルご
とにコメントを入れることができるので、いちいち何のセルかを説明しなくてもコメント
がついているセルを見ればすぐにわかります。

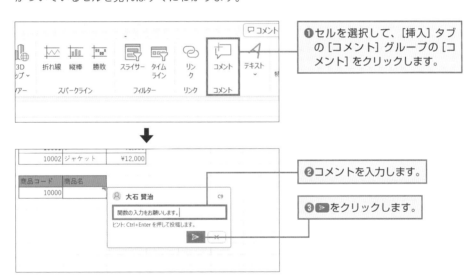

❶セルを選択して、[挿入] タブ
の [コメント] グループの [コ
メント] をクリックします。

❷コメントを入力します。

❸ ▷ をクリックします。

Tips   コメントの削除

コメントを読んだら削除しましょう。コメントの … をクリックして、[スレッドの削除] をク
リックします。また、コメントには返信することも可能なので、返信を入力して相手に渡し
返せます。なお、コメントの表示を切り替えるには、[校閲] タブの [コメント] グループの
[コメントの表示] をクリックしましょう。

▶▶ **作った資料はしっかり守ろう！**

Excelを保護する

編集させたくない大切なシートやブックは保護することで、データが意図せず変更させてしまうといったインシデントを防ぐことができます。作った資料を守るために本項は頭の片隅に入れておきましょう。

❶シート/ブックの保護をする

社外にデータを持ち出したり、取引先の相手にデータを渡すといった場合、万が一データが改ざんされてしまう可能性があるかもしれません。そのような場合は第三者が勝手にデータを変更できないように保護をしてしまいましょう。保護したデータは正しいパスワードを入力しない限り編集することができません。

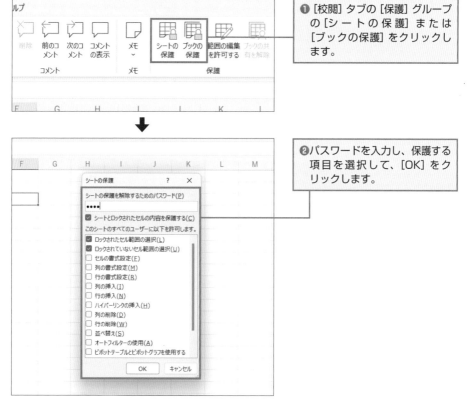

❶ [校閲] タブの [保護] グループの [シートの保護] または [ブックの保護] をクリックします。

❷パスワードを入力し、保護する項目を選択して、[OK] をクリックします。

▶▶ 日付やページ番号でドキュメントをしっかり管理！

ヘッダーとフッターを追加する

　ヘッダーやフッターには日付やページ数などを入力します。いつ作成した資料なのか印刷しても確認することができます。また、固定フォーマットの帳簿などには必要な要素になります。

❶ヘッダーとフッターを追加する

　Excelのデータを印刷した際に、何のデータの印刷なのか、このページは何ページ目なのかをヘッダーとフッターとして入力することができます。ヘッダーとフッターには自由に文字を入力できるほか、ページ番号、日付なども入力できます。

❶ [表示] タブの [ブックの表示] グループの [ページレイアウト] をクリックします。

❷ [ヘッダーの追加] または [フッターの追加] をクリックすると [ヘッダーとフッター] タブに切り替わり、入力することができます。

Tips　もとの画面に戻る

ヘッダーとフッターの設定画面からもとの画面に戻るには、[表示] タブの [ブックの表示] グループの [標準] をクリックしましょう。

▶ ▶ 状況に応じて印刷設定をコントロールしよう！

印刷の設定を行う

本項では、印刷する範囲を適切に設定する方法を解説します。また、データの拡大/縮小や余白の設定など状況に応じた印刷設定をスムーズにできるようになりましょう。

❶印刷範囲を設定する

VLOOKUP関数などを使って表を作成した際に、印刷時にはID列は印刷する必要がありません。このような場合は印刷される範囲を限定してしまいましょう。また、表の一部のみ印刷したいという場合にも活用できます。

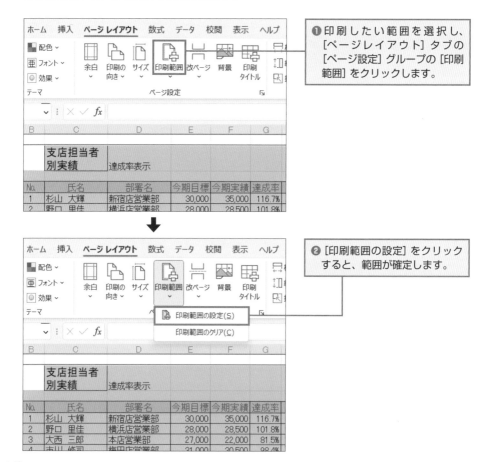

❶ 印刷したい範囲を選択し、[ページレイアウト] タブの [ページ設定] グループの [印刷範囲] をクリックします。

❷ [印刷範囲の設定] をクリックすると、範囲が確定します。

❷余白を設定する

ページ設定では、印刷の上下左右の余白を設定することができます。とくに設定する必要もないように思えますが、たとえば会社のロゴが隅に小さく入っていたり、上下左右に装飾が入っている紙を使っていたりして、印刷がかぶらないようにしたい場合などに余白を設定することで回避できるのです。

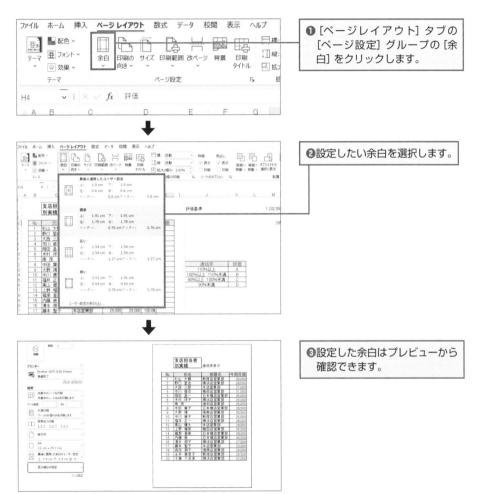

❶ [ページレイアウト] タブの [ページ設定] グループの [余白] をクリックします。

❷設定したい余白を選択します。

❸設定した余白はプレビューから確認できます。

Tips ユーザー設定の余白

[ユーザー設定の余白] では、自分で余白の幅を自由に設定できます。また、上下左右で異なる幅にすることも可能です。

❸拡大／縮小する

通常印刷する場合、作業しているExcelの拡大比率の大きさで印刷されます。しかし、小さい表やグラフを作成している場合、そのままでは小さく印刷されてしまいます。拡大／縮小を印刷時に反映させてみましょう。

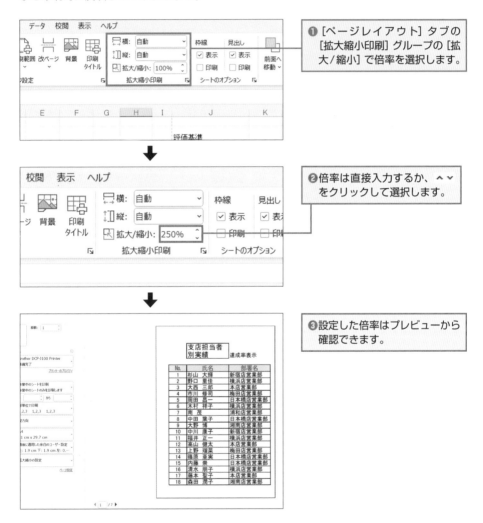

❶ [ページレイアウト] タブの [拡大縮小印刷] グループの [拡大／縮小] で倍率を選択します。

❷倍率は直接入力するか、∧∨をクリックして選択します。

❸設定した倍率はプレビューから確認できます。

Tips　拡大縮小の自動調整

[拡大縮小印刷] グループの [横] と [縦] が [自動] になっている場合、入力されているデータに合わせて自動で調節をしてくれます。

❹改ページ設定をする

　縦または横に長い表を印刷する場合、年ごとなど区切りのよい部分で印刷すると、印刷物を見たときにわかりやすくなります。 改ページ設定をしないと、中途半端な部分で切れて印刷されることもあるので設定しておいた方が安心です。

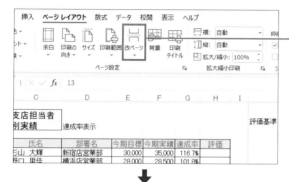

❶改ページを設定したいセルを選択し、[ページレイアウト] タブの [ページ設定] グループの [改ページ] をクリックします。

❷ [改ページの挿入] で設定できます。また、[改ページの解除] で解除もできます。

Tips　用紙サイズの設定

通常では A4 サイズで印刷されます。しかし場合によっては A3 サイズなど異なるサイズの紙に印刷することもあります。その場合は、[ページレイアウト] タブの [ページ設定] グループの [サイズ] をクリックして、用紙のサイズを選択します。

Tips　用紙の向きの設定

通常では縦に印刷されますが、横に長い表の場合は、横向きに印刷した方がよい場合もあります。その場合は、[ページレイアウト] タブの [ページ設定] グループの [印刷の向き] をクリックして、向きを選択します。

145

❺印刷する

印刷の準備が整ったら印刷をしましょう。印刷する前には印刷プレビューでどのように印刷されるかを確認することもできます。[ファイル] タブの [印刷] から印刷することができますが、[Ctrl] + [P] で印刷することもできます。

印刷の前に印刷プレビューで確認し、問題なければ印刷を開始しましょう。

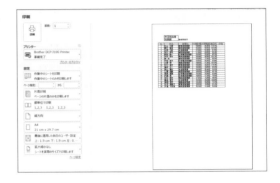

❻PDFで出力する

紙で印刷するほかに、PDFとして出力することができます。メールなどでやり取りをする際はPDFで出力する方がよいでしょう。

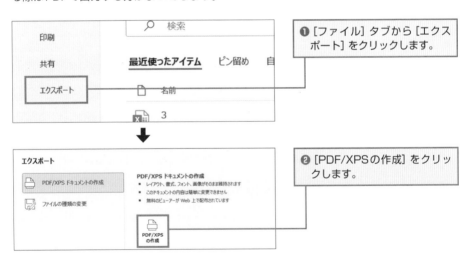

❶ [ファイル] タブから [エクスポート] をクリックします。

❷ [PDF/XPSの作成] をクリックします。

Tips　PDFで出力したあと

PDFで出力したあとは、自動的にPDF閲覧ソフトが起動する場合があります。

第 5 章

便利機能・テクニック集

あなたの仕事をさらに進化させる便利機能！

　4章までの内容を理解すれば、思わぬタイミングで思わぬ業務をお願いされても、仕事の進め方がわからずに途方に暮れるということも無くなるでしょう。

　さて、**ここからはあなたの仕事をさらに効率的かつ正確にしていくための機能やテクニックを紹介していきます。**これらの機能、テクニックはあなたの業務に進化をもたらすことは間違いないでしょう。

　とはいえ先に1点、断っておかなければならないことがあります。本章で扱う機能は、様々な活用方法があり、本書ではすべて網羅的に解説していくということが困難です。もし、本書の解説を読んで「もっと、詳しく知りたい！」となるようであれば、まずはWeb検索をしてみてください。Excelの解説というところから少し離れてしまいますが、**Webで的確に調べたいことを調べられるというのも仕事を効率的に進めるためには必須テクニックです。**実際にWebで調べてみると、ヒットしそうなキーワードでも、意外と欲しい情報にアクセスできなかったりします。本書でのExcelの学習に加え、Web検索の技術も身につけていきましょう。

▶ ▶ 最大数と最小数を割り出し、今後の課題に役立てる！

最大値・最小値を取り出す

　データで多用されるものとして、**最大値**、**最小値**があります。売り上げや顧客数の資料を作る際には、欠かせない要素でしょう。本項の内容をおさえれば、元データの数字が変わるたびに、計算をし直さなくてもよくなるでしょう。

❶最大値を取り出す

　「顧客情報などを作成した際に最高年齢は何歳なのか」や、「各店での売上個数の中で一番売り上げている個数は何個なのか」など、表で最大値がいくらなのかを調べたいときがあります。その際は、**MAX関数**を使うと簡単です。セルに直接関数を入力してもよいですし、[ホーム] タブの [編集] グループの [オートSUM] の ∨ をクリックして、[最大値] をクリックしても問題ありません。

> =MAX(範囲)

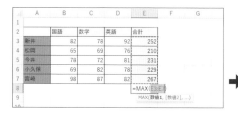

MAX関数を使って範囲を設定します。

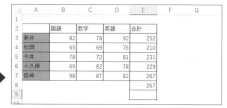

範囲の中での最大値の数値が表示されます。

Tips | **中央値を求める**

　関数で平均を求めるやり方はP.54で解説をしました。それとは別に中央値を求めることができます。中央値とは、選択した複数のセルのちょうど真ん中に位置する値を指します。平均では、1つでも大きな数値や小さな数値があるとそれの影響を受けてしまいますが、中央値では、そのような影響を受けにくく実際に近いデータを得ることができるのです。中央値を求める場合は、**MEDIAN関数**を使います。

5

便利機能・テクニック集

❷最小値を取り出す

最大値とは逆に「顧客情報などを作成した際に最低年齢は何歳なのか」や、「各店での売上個数の中で一番売り上げていない個数は何個なのか」など、表で最小値がいくらなのかを調べてみましょう。その際は、**MIN関数**を使います。MAX関数と同様にセルに直接関数を入力してもよいですし、[ホーム] タブの [編集] グループの「オートSUM」の∨をクリックして、[最小値] をクリックしても問題ありません。

=MIN(範囲)

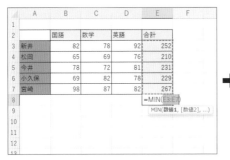

MIN関数を使って範囲を設定します。 　　　範囲の中での最小値の数値が表示されます。

MAX関数とMIN関数の仲間に**MAXA関数**と**MINA関数**があります。これは最大値と最小値を出せるという意味では大きな違いはありませんが、最大の違いは「指定したセルの範囲に文字列や空白のセルが混ざっていても数値を割り出せる」という点です。たとえば、テストの点数の最大値を出したいときに、テストを欠席した生徒がおりそのセルに「欠席」と入力していたとしても、MAXA関数でエラーが出ないというものです。

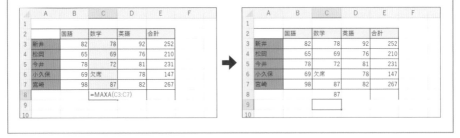

▶▶ グラフと表を組み合わせてさらにデータを見やすく！

スパークラインを活用する

　スパークラインは表の範囲を選択すると、その選択位置のデータを表にしてくれる機能になります。普通のグラフにプラスして、表の数字でより読み取りやすいグラフにできます。このスパークラインはグラフ作成の一歩進んだテクニックになりますが、使えると便利なので是非マスターしてください！

❶スパークラインとは

　Excelのスパークラインとは、セル内に小さなサイズのグラフを作成できる機能を言います。**「大きなグラフを作るまでもないけど、ある程度視覚的に推移がわかるようにしたい」**といった場合に使いましょう。スパークラインで作成できるグラフは3つの種類があります。種類については次ページで解説します。

　半年間の売上の月ごとの表を作成したけど視覚的にわかりやすくしたいといったときにスパークラインを活用します。

商品名	1月	2月	3月	4月	5月	6月	グラフ
ワイシャツ	35	42	98	99	78	62	
Tシャツ	29	38	68	72	78	98	
デニム	25	48	65	35	50	32	
ジャケット	62	68	35	25	12	4	
コート	68	48	27	10	3	0	
ブルゾン	47	32	38	21	4	0	

　セル内に小さなグラフが表示され、推移がわかりやすくなります。

商品名	1月	2月	3月	4月	5月	6月	グラフ
ワイシャツ	35	42	98	99	78	62	
Tシャツ	29	38	68	72	78	98	
デニム	25	48	65	35	50	32	
ジャケット	62	68	35	25	12	4	
コート	68	48	27	10	3	0	
ブルゾン	47	32	38	21	4	0	

5

便利機能・テクニック集

それでは設定できるスパークラインの種類を確認しましょう。通常のグラフ作成とは違い、設定できる種類は3種類と少ないです。しかしその分、使い勝手のよい種類が揃っているのでそこまで不便を感じることはないでしょう。

折れ線グラフ

売上の推移など、縦軸と横軸が対応しているデータを表現したい場合に適しています。

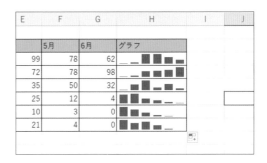

縦棒グラフ

テストの点数の比較など、**データ間での数量を比較したい場合**に適しています。

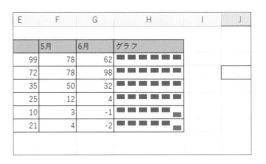

勝敗グラフ

利益と損益など、**0より大きい数値と小さい数値を青と赤で分けて表示**します。

E	F	G	H	I	J
	5月	6月	グラフ		
99	78	62			
72	78	98			
35	50	32			
25	12	4			
10	3	-1			
21	4	-2			

Tips スパークラインが使えない？

スパークラインは古いバージョンでは使えないことがあります（Excel2013以前のものなど）。また、Excelが互換モードの場合も使えないことがあります。

❷スパークラインを活用する

　スパークラインを活用してみましょう。ここでは、売上の推移を折れ線グラフで表現していきます。スパークラインを設定する場合は、あらかじめスパークラインを入力するセルの部分を表に入れておきましょう。

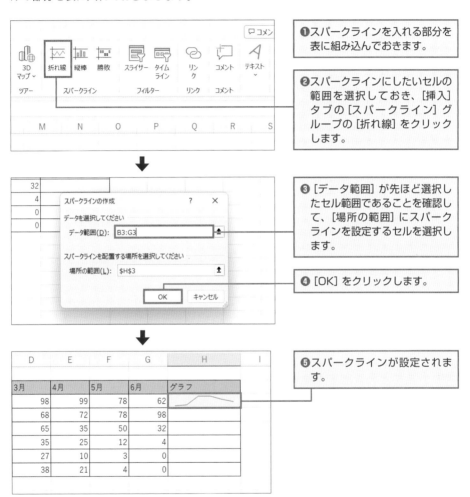

❶スパークラインを入れる部分を表に組み込んでおきます。

❷スパークラインにしたいセルの範囲を選択しておき、[挿入]タブの[スパークライン]グループの[折れ線]をクリックします。

❸[データ範囲]が先ほど選択したセル範囲であることを確認して、[場所の範囲]にスパークラインを設定するセルを選択します。

❹[OK]をクリックします。

❺スパークラインが設定されます。

5

便利機能・テクニック集

Tips　スパークラインの範囲を変更する

スパークラインを設定したあとにセルの範囲を変更したい場合は、スパークラインを設定しているセルを選択して、[スパークライン]タブの[スパークライン]グループの[データの編集]をクリックし、セルの範囲を選択し直します。

スパークラインは設定後に種類を変更したり、スタイルや色を変更したりすることができます。また、設定した表示位置にマーカーを付けることもできます。

種類の変更

［スパークライン］タブの［種類］グループから変更します。

スタイル・色の変更

［スパークライン］タブの［スタイル］グループから変更します。スタイルから簡単に変更することもできますが、グラフの線とマーカーの色を細かく設定することもできます。

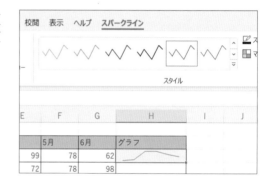

表示の設定

スパークラインにマーカーを付けることができます。このマーカーは折れ線グラフに付けると折れる時点でマーカーが、縦棒グラフでは該当する棒の色が変化します。

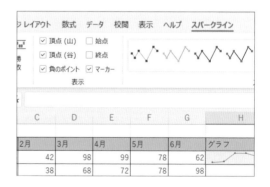

Tips	スパークラインを削除する

スパークラインを削除するには、セルを選択し Delete を押すだけではできません。スパークラインのセルを選択し、［スパークライン］タブの［グループ］グループの［クリア］をクリックしましょう。

▶▶ 一条件や日付でデータを抽出する！

スライサー・タイムラインを活用する

　ここからは条件でデータを抽出する**「スライサー」**、日付でデータを抽出する**「タイムライン」**について見ていきます。どちらの機能も理解しておくと効率的なデータの整理が可能になります。

❶スライサーとは

　Excelでテーブル（P.118参照）または、ピボットテーブルを作成した際に、複数のフィルターを使ってデータを取り出していると、どこに何のフィルターを使っているのかがわからなくなってしまうことがあります。このようなときに使える機能がスライサーです。**スライサーはフィルターをボタンで表示して操作することができる機能です。**フィルターが視覚的に設定できるようになるので、複数のフィルターをかけたい場合はスライサーを使うと複雑なことにならなくなり、円滑に作業を進めることができます。

　テーブルやピボットテーブルを使っていろいろなフィルターを使っていると、何のデータにどんなフィルターをかけているかわからなくなってしまうことがあります。

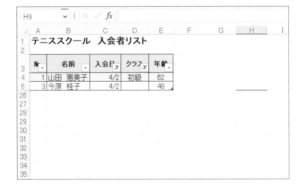

　スライサーを使うことで、フィルターを視覚的に操作することができるようになります。

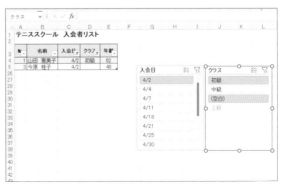

❷スライサーを活用する

それでは実際にスライサーを使ってみましょう。今回は顧客リストの表を使って、テーブルを作成したあとにスライサーを設定し、データを取り出す流れを確認してみましょう。

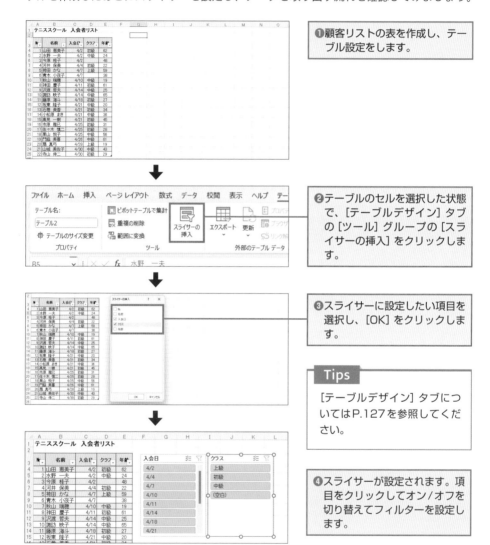

❶顧客リストの表を作成し、テーブル設定をします。

❷テーブルのセルを選択した状態で、[テーブルデザイン] タブの [ツール] グループの [スライサーの挿入] をクリックします。

❸スライサーに設定したい項目を選択し、[OK] をクリックします。

Tips

[テーブルデザイン] タブについてはP.127を参照してください。

❹スライサーが設定されます。項目をクリックしてオン／オフを切り替えてフィルターを設定します。

Tips　テーブルとピボットテーブル

テーブルについてはP.118を、ピボットテーブルについてはP.120を参照してください。

❸タイムラインとは

　Excelでピボットテーブルでデータを割り出す際に、「期間を指定してその部分だけの数値を知りたい」といったことはありませんか？　たとえば年間売上の表で「1〜3月の売上」「1〜6月の半年間の売上」といったような、期間を指定した売り上げを知りたい場合などにタイムラインという機能が使えます。スライサーと同様に直感的に操作できる点も便利です。

　ピボットテーブルを使っていても一部の期間を指定しての数値は取り出すことができませんでした。

2					
3	合計 / 単価	列ラベル			
4	行ラベル	Tシャツ	Yシャツ	デニム	ブルゾン	総計
5	1月8日		1500			1500
6	1月9日	1200				1200
7	1月10日				2800	2800
8	1月12日		1500			1500
9	1月13日		1500			1500
10	1月14日	1200				1200
11	1月15日	1200				1200
12	1月16日			2000		2000
13	1月20日		1500			1500
14	1月23日			2000		2000
15	1月25日	1200				1200
16	1月26日		1500			1500
17	1月27日			2000		2000
18	1月29日				2800	2800
19	1月30日			2000		2000
20	総計	4800	7500	8000	5600	25900
21						

　タイムラインを使うことで、指定した期間の範囲での数値を割り出すことができるようになります。

　なお、タイムラインを使用する際は、書式設定が日付のフィールドが存在している必要があります。

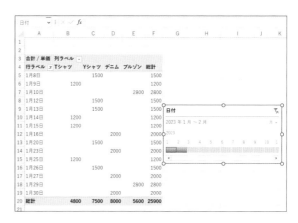

Tips　タイムラインを使うことができるのはピボットテーブルのみ

タイムラインを使うことができるのはピボットテーブルのみで、テーブルには対応していない点に注意しましょう。

5

便利機能・テクニック集

❹タイムラインを活用する

それでは実際にタイムラインを使ってみましょう。今回は売上表を使って、ピボットテーブルを作成したあとにタイムラインを設定し、一定の期間の売り上げの数値を取り出す流れを確認してみましょう。

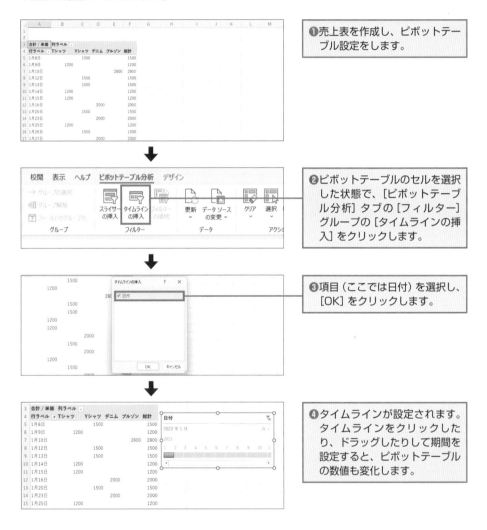

❶売上表を作成し、ピボットテーブル設定をします。

❷ピボットテーブルのセルを選択した状態で、[ピボットテーブル分析] タブの [フィルター] グループの [タイムラインの挿入] をクリックします。

❸項目 (ここでは日付) を選択し、[OK] をクリックします。

❹タイムラインが設定されます。タイムラインをクリックしたり、ドラッグしたりして期間を設定すると、ピボットテーブルの数値も変化します。

| Tips | タイムラインの期間の指定 |

日付で設定すると、初期設定では期間が「月」に設定されていることが多いです。右側の ▼ をクリックすると、期間の単位を変更することもできます。

▶▶ What-If分析でセル値をしっかり管理

What-If分析を活用する

あるセルの値を変更したら、他のセルにどのような影響があるか調べたいときは、**What-If分析**を使用しましょう。What-If分析はセル値を変更したときに、ワークシートの計算式の影響範囲を調べられる機能です。

❶What-If分析とは

Excelには「What-If 分析」ツールというのがあります。そして、「What-If分析」には**「シナリオ」「データテーブル」「ゴールシーク」**という3つの種類があります。データテーブルはP.163で、ゴールシークはP.167で解説をしますので、ここでは「シナリオ」をまず紹介します。

シナリオは、数式に複数の異なる値を入れて結果がどうなるかを分析します。シナリオとは、Excelで保存されてワークシート上のセルに自動的に代入される値のセットを指します。変化する可能性のあるシナリオを複数登録しておくことで、数式の計算結果を比較できるという仕組みです。

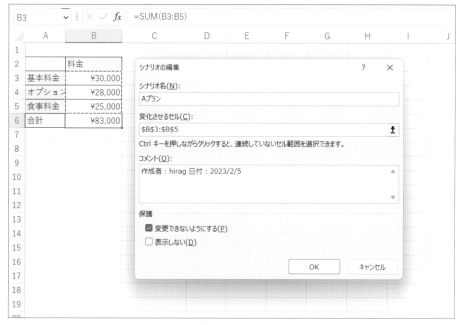

セルにシナリオを登録して、数値の結果を比較することができます。

❷ What-If 分析を活用する

それでは実際にWhat-If分析を使ってみましょう。今回は旅行プランを比較します。比較内容は最終的な価格ですが、プランの内容によって基本料金、オプション料金、食事料金の変化についてシナリオを作成していきたいと思います。ここではAプラン、Bプラン、Cプランという形で作成していきます。

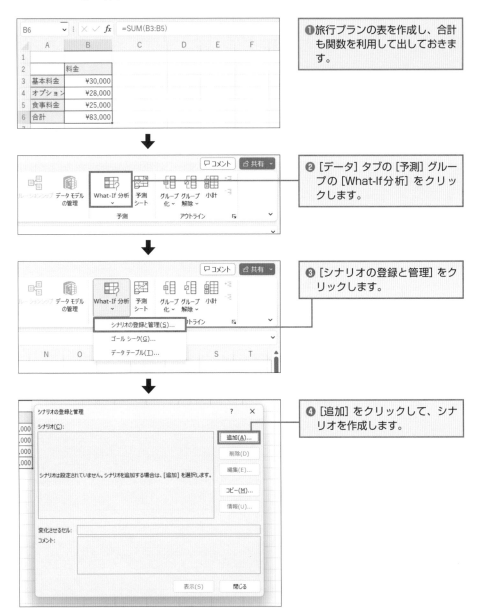

❶旅行プランの表を作成し、合計も関数を利用して出しておきます。

❷ [データ] タブの [予測] グループの [What-If分析] をクリックします。

❸ [シナリオの登録と管理] をクリックします。

❹ [追加] をクリックして、シナリオを作成します。

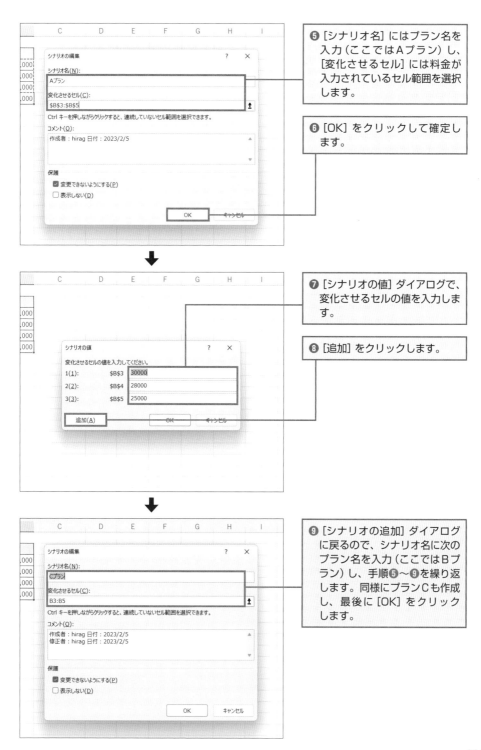

❺ [シナリオ名] にはプラン名を入力 (ここではAプラン) し、[変化させるセル] には料金が入力されているセル範囲を選択します。

❻ [OK] をクリックして確定します。

❼ [シナリオの値] ダイアログで、変化させるセルの値を入力します。

❽ [追加] をクリックします。

❾ [シナリオの追加] ダイアログに戻るので、シナリオ名に次のプラン名を入力 (ここではBプラン) し、手順❺〜❾を繰り返します。同様にプランCも作成し、最後に [OK] をクリックします。

シナリオの表示

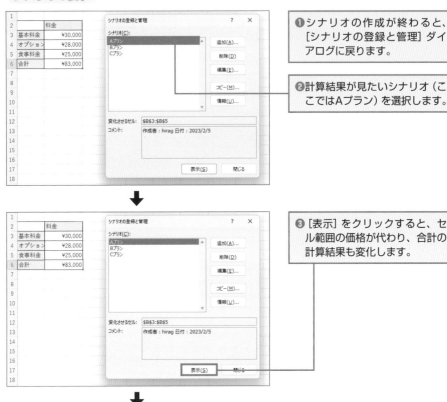

❶ シナリオの作成が終わると、[シナリオの登録と管理] ダイアログに戻ります。

❷ 計算結果が見たいシナリオ (ここではAプラン) を選択します。

❸ [表示] をクリックすると、セル範囲の価格が代わり、合計の計算結果も変化します。

❹ 同様にBプラン、Cプランを選択して [表示] をクリックすると、計算結果が変化するので、簡単に比較が可能というわけです。

Tips　シナリオ情報レポート

[シナリオの登録と管理] ダイアログで [情報] をクリックすると、作成したシナリオがレポートとして新しいシートに作成されます。

❸データテーブルとは

データテーブルとは、その名の通りテーブル（表）において、**複数の計算結果を同時に一覧形式で表示できる機能です**。シナリオと同様に比較として使いますが、追加して表示を変化させるのではなく、表に入力されている数値において計算結果を作成し、比較をするというものです。わかりやすい例としては、売り上げ金額の目標達成に対して、いくらの「単価」でいくらの「個数」を売れば達成するのかというものを、単価と個数の数値をさまざまに比較ができます。例として以下のような表となります。

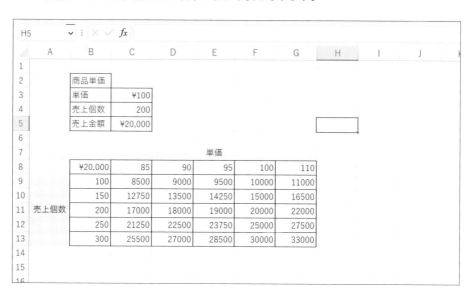

Tips　データテーブルのデメリット

データテーブルを設定すると、以下のようなデメリットがあります。よく注意して活用しましょう。

- ［ブックの共有］を設定できない
- ［シートの保護］を行うとテーブルの自動拡張がオフになる
- 複数列で同じ数式を使い回せないケースがある
- フィールド名に数値や日付を入れた場合、必ず文字列扱いとなってしまう

❹データテーブルを活用する

　それでは実際にデータテーブルを使ってみましょう。今回は商品価格の目標を金額を達成するための単価と売り上げ個数を比較します。単価と個数をさまざまな数値に変化させ、「この単価ならこれくらいの個数」といった形で比較をしていきましょう。

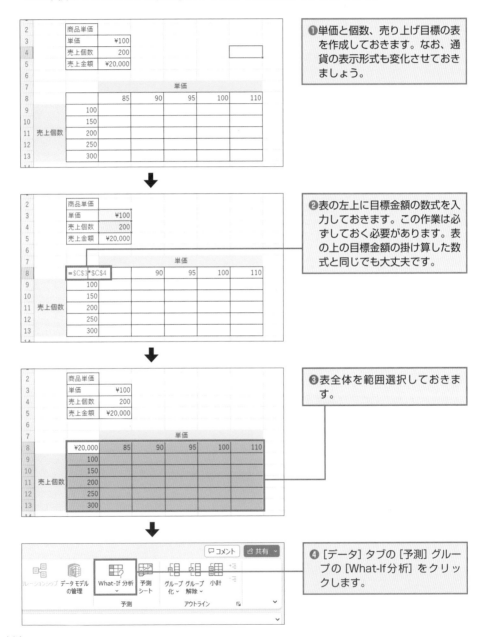

❶単価と個数、売り上げ目標の表を作成しておきます。なお、通貨の表示形式も変化させておきましょう。

❷表の左上に目標金額の数式を入力しておきます。この作業は必ずしておく必要があります。表の上の目標金額の掛け算した数式と同じでも大丈夫です。

❸表全体を範囲選択しておきます。

❹ [データ] タブの [予測] グループの [What-If分析] をクリックします。

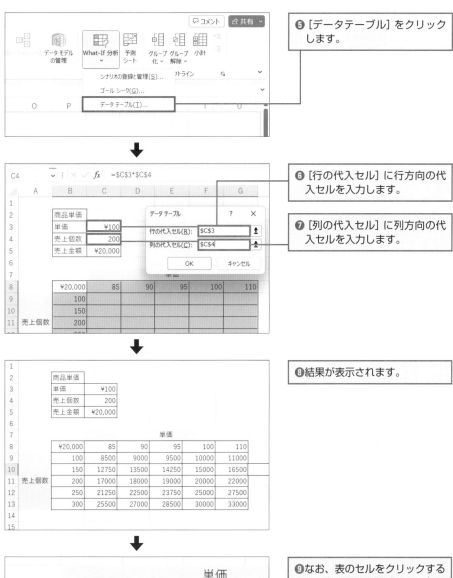

❺ [データテーブル] をクリックします。

❻ [行の代入セル] に行方向の代入セルを入力します。

❼ [列の代入セル] に列方向の代入セルを入力します。

❽結果が表示されます。

❾なお、表のセルをクリックすると、左のような数式になっています。

5 便利機能・テクニック集

165

P.164の例とは別に、単価が決まっている場合、または個数が決まっている場合、つまり行と列どちらかが固定の場合も、同様にデータテーブルを活用することができます。以下では、列が固定されている場合の手順例を紹介します。

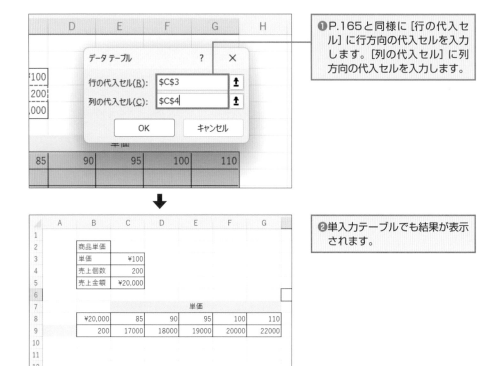

❶P.165と同様に [行の代入セル] に行方向の代入セルを入力します。[列の代入セル] に列方向の代入セルを入力します。

❷単入力テーブルでも結果が表示されます。

| Tips | データテーブルの再計算 |

入力されたデータテーブルの行と列の数値を変更すると、自動的に再計算されるので、再度データテーブルを設定する必要はありません。

　ゴールシークとは、ゴール（目標値）を設定して特定のセルの値を変化させ、目標達成に必要な値を求めることができる機能です。シナリオとデータテーブルと違う点は、最終的な数値がすでに決まっていることです。その数値を達成するには、数式の数値にいくら必要なのか、について調べるということです。例としては、商品Aは単価〇〇円で△個、商品Bは単価□□円で◇個売り上げた場合、目標金額を達成するには、商品Cは単価××の場合いくらの個数を売り上げる必要があるのか、について調べることができるのです。

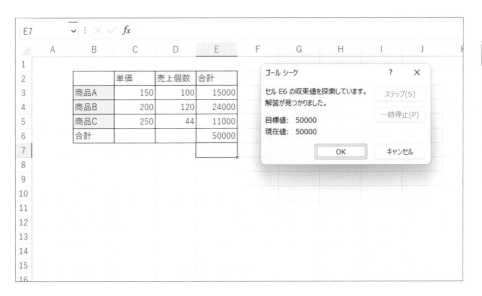

Tips ゴールシークの注意点

ゴールシークを設定するうえで以下のような注意点があります。

- ［目標値］をセルで指定することはできない
- ［変化させるセル］に数式は入れない

また、ゴールシークがうまくいかない場合は、反復計算の設定を調整する必要もあります。これは、ゴールシークで解答が見つからず何度も計算を繰り返してしまうことで起こる現象です。

⑥ゴールシークを活用する

それでは実際にゴールシークを使ってみましょう。先ほど例として出した、商品売上についてのゴールシークの計算で、商品Cの売上個数の必要数を割り出してみましょう。

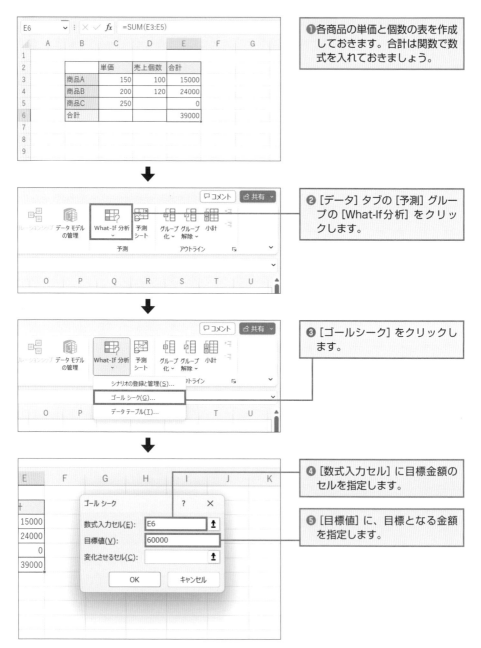

❶各商品の単価と個数の表を作成しておきます。合計は関数で数式を入れておきましょう。

❷[データ] タブの [予測] グループの [What-If分析] をクリックします。

❸[ゴールシーク] をクリックします。

❹[数式入力セル] に目標金額のセルを指定します。

❺[目標値] に、目標となる金額を指定します。

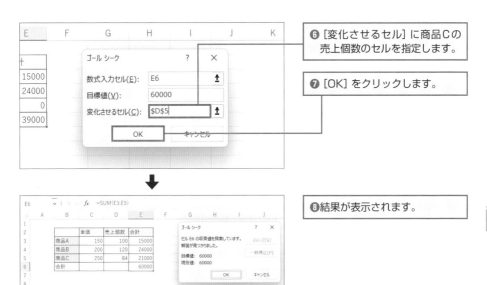

❻ [変化させるセル] に商品Cの売上個数のセルを指定します。

❼ [OK] をクリックします。

❽結果が表示されます。

❼予測シートとは

What-If分析に似た仲間に**「予測シート」**という機能があります。これは比較的に新しい機能でExcel2016から追加されました。過去のデータよりも新しいデータを重視して予測を行います。**日付や時刻を入力された列と、それに対応する値を持つ列の組み合わせを参照し、将来の値を予測して表示します。**

簡単に説明しますと、2022年と2023年1月～3月までの売上表を作成し、予測シートを作成すると、2023年4月以降の売上予測をExcel上で自動的に作成してくれるというものです。

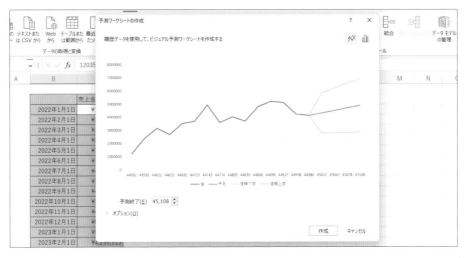

❽予測シートを活用する

　時系列分析ということで難しそうに思えますが、操作自体は非常に簡単です。何故なら
Excel上で予測してシートを作成してくれるからです。表を選択して予測シートを作成する
操作だけです。

❶売上表など、今後の予測をした
い表を作成しておき、表のいず
れかのセルを選択しておきま
す。

❷ [データ] タブの [予測] グルー
プの [予測シート] をクリック
します。

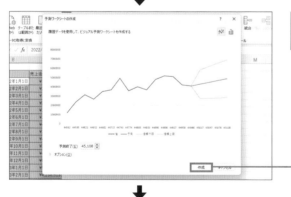

❸予測シートが表示されます。
[作成] をクリックします。

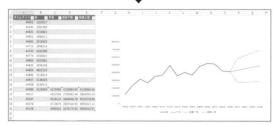

❹予測シートが別のワークシート
に貼り付けられます。

▶ ▶ 統合でデータをひとまとめに！

統合を活用する

「統合」はその名の通り異なるワークシートやブックのデータを1つの表にひとまとめにしてしまう機能です。統合を使うと、データをまとめ直すときに新規で表を作り直す必要がなくなります。

❶統合とは

Excelには、複数のシートに分散して作成されているデータを1つの表にまとめて集計することができる「統合」という機能があります。 たとえばシートごとに月別の集計表を作成していたり、ブックごとに年度別の売上表を作成したとします。その表を毎回開き直したりして、すべての合計を出そうとすると大変な手間になります。そこで統合を使うことで、すべてのデータの合計などの集計が行えてしまうのです。

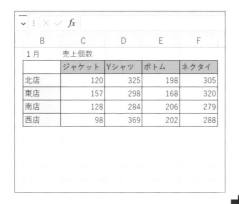

1月 売上個数

	ジャケット	Yシャツ	ボトム	ネクタイ
北店	120	325	198	305
東店	157	298	168	320
南店	128	284	206	279
西店	98	369	202	288

	ジャケット	Yシャツ	ボトム	ネクタイ
北店	259	627	402	638
東店	304	556	371	632
南店	267	593	404	568
西店	194	747	401	544

2月 売上個数

	ジャケット	Yシャツ	ボトム	ネクタイ
北店	139	302	204	333
東店	147	258	203	312
南店	139	309	198	289
西店	96	378	199	256

❷統合を活用する

　それでは、例として別々のシートに作った1,2,3月の売上表を統合してみましょう。今回は数値の合計を統合して考えます。

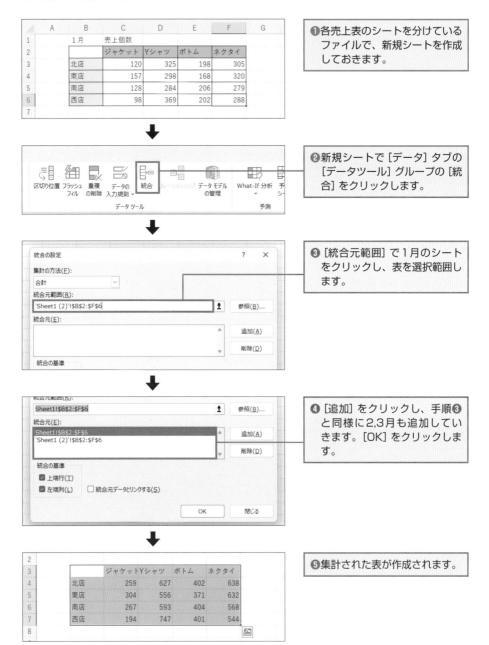

❶各売上表のシートを分けているファイルで、新規シートを作成しておきます。

❷新規シートで [データ] タブの [データツール] グループの [統合] をクリックします。

❸ [統合元範囲] で1月のシートをクリックし、表を選択範囲します。

❹ [追加] をクリックし、手順❸と同様に2,3月も追加していきます。[OK] をクリックします。

❺集計された表が作成されます。

▶ ▶ データを自動で加工できる優れもの！

Power Queryを活用する

　Power Query（パワークエリ）について見ていきます。もしかしたらPower Queryという言葉に聞き馴染みのない方も多いかと思います。では本項を読んで、Power Queryでどんなことが出来るのか知るための第一歩にしましょう。

❶ Power Queryとは

　Power Queryとは、外部データとの連携や連携してからのデータの加工を自動化する機能です。連携するデータとしてはExcelファイルなどとの連携も簡単に行うことができるがゆえに、いろいろなことができるのですが、今回はPower Queryの基本として複数ブックの統合を紹介します。

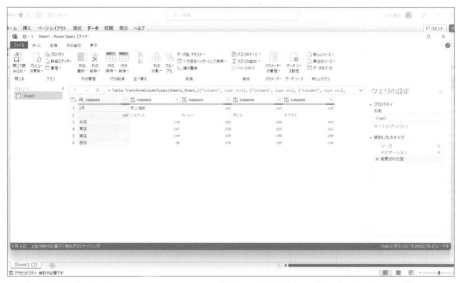

　ブックを統合すると、Power Query エディター画面が表示されます。大きく分けて４つのパーツで構成されていて、上のタブはコマンドメニュー、左の「クエリ」は取り込んだソースファイルを表示、真ん中のデータ表示領域結合されたデータ画面、右側の「クエリの設定」には実行した操作の履歴が表示されています。

❷ Power Query でブックを統合する

　それでは、例として別々のブックのデータをPower Queryで統合してみましょう。なお、本書では統合後のPower Query エディター画面の詳しい操作については省略をしています。

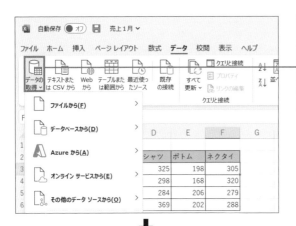

❶ [データ] タブの [データの取得と変換] グループの [データの取得] から [ファイルから] → [フォルダから] をクリックして統合したいファイルを選択します。

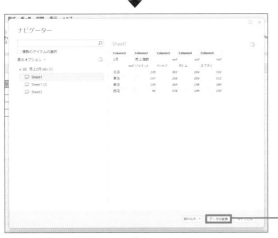

❷統合するファイルを確認して、[データの変換] をクリックします。

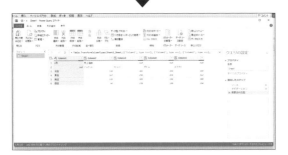

❸ Power Query エディター画面が表示され、データが統合されます。

▶▶カテゴリごとの合計を出したいときに便利！

小計を活用する

　小計は「商品名」など同じカテゴリのデータをまとめると合計値を小計として計算してくれる機能です。表内のフィールドのデータが更新されるごとに自動で行が挿入されるので、手動で計算をし直す必要がなくなります。

❶小計とは

　Excelで売上表の合計を出す前に、日付ごとや商品ごとに小計を出して確認しておきたい場合も多いでしょう。1つ1つSUM関数を使って計算していくのも悪くないのですが、量が多いと非常に手間がかかる作業です。そのようなときに使えるのがExcelの**「小計」機能**です。Excelにはもともと合計のほかに小計を出すことができるので、手間が減るというわけです。小計機能は、グループごとに合計を出したいときに利用します。

　小計機能を利用すると、日付ごとの小計や商品ごとの小計を簡単に求めることができます。

5
便利機能・テクニック集

❷小計を活用する

それでは、例として売上表から日付ごとの小計を求めてみましょう。

❶表全体を選択しておきます。

❷ [データ] タブの [アウトライン] グループの [小計] をクリックします。

❸条件を設定します。今回は日付ごとの小計を出すので、[グループの基準] を [日付]、[集計の方法] を [合計]、[集計するフィールド] は数値を設定している列を選択します。

❹ [OK] をクリックします。

❺日付ごとの小計が表示されます。

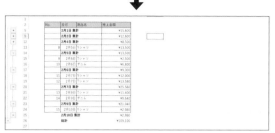

❻アウトライン化されているので、左のボタンをクリックして日付ごとに小計を見ることもできます。

それでは逆に、商品ごとの小計を求める場合はどうしたらよいでしょうか。P.176の条件を変更するだけで簡単に行うことができるので、確認しましょう。

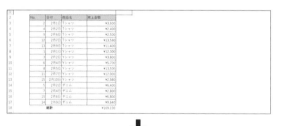

❶表を商品名の昇順で並べ替えをしておきます。

❷条件を設定する際に、[グループの基準]を[商品名]、[集計の方法]を[合計]、[集計するフィールド]は数値を設定している列を選択します。

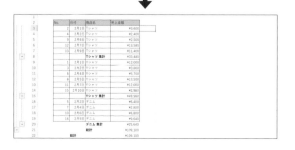

❸[OK]をクリックして、小計を表示します。

小さなテクニックとなりますが、統計と小計を各日付や商品名の上に表示させることもできます。

条件を指定する画面で［集計行をデータの下に挿入する］のチェックを外しておきましょう。

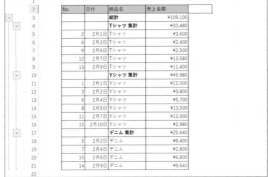

チェックを外すことで、統計と小計が上位に表示されるようになります。

Tips　小計ができない場合

ある条件下の場合、小計が行えない場合があります。うまく小計ができない場合は以下の注意事項を確認してみましょう。

・小計にしたい表がテーブルになってる場合は小計にできない
・グループの基準のしたい項目での並べ替えを行っていない

Tips　小計の解除

小計を解除する場合は、小計の表全体を選択して［データ］タブの「アウトライン」グループの［小計］をクリックしましょう。

▶ ▶ 目視で確認は危険！　必ずスペルチェック機能を使おう！

Excel内のスペルチェックをする

　どんなに慎重に文字を入力していても100％正しく文字を入力できるということはありません。人間で難しいことは機械に任せましょう。Excelの校閲にも入力文字が正しいか判断してくれる**スペルチェック機能**があります。ではチェック機能の使い方を見ていきましょう。

❶スペルチェックをする

　Excelで資料作成をしているうちに、商品名に英語を使ったり、または海外の取引先相手のためにアルファベットで表を作成したりすることもあるでしょう。しかし、アルファベットのスペルが間違っていたら元も子もありません。しかも、取引先相手にその間違ったデータを渡してしまったらもしかしたら信用問題に関わるかもわかりません。完成したデータはスペルチェックを行い、しっかり確認をしましょう。

　[校閲] タブの [文章校正] グループの [スペルチェック] から確認できます。

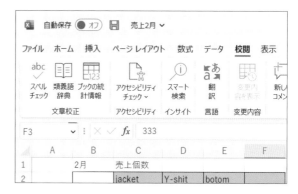

　スペルが間違っていた場合は、[スペルチェック] から修正を行うこともできます。

▶ ▶ **みんなが見やすい資料になっているかの確認**

アクセシビリティチェックをする

アクセシビリティチェックは障害のある方でも見やすい資料になっているかを確認する機能です。せっかく作った資料です。仕事の関係者が全員見やすい資料にして損はありません。

❶アクセシビリティチェックをする

アクセシビリティとは年齢や障害などのハンディキャップに関係なく、誰でも問題なく利用できるか、という意味で使われます。つまり、Excelデータが誰でも利用できるかチェックするということです。たとえば、目が悪い人は「音声読み上げソフト」を使うことが予想されます。作ったデータがこういった対策をしているかどうかを確認するのです。また、グラフにタイトルが入っていない場合は、何のグラフかわからないのでアクセシビリティが低いというパターンもあり得ます。

[校閲] タブの [アクセシビリティ] グループの [アクセシビリティチェック] から確認できます。

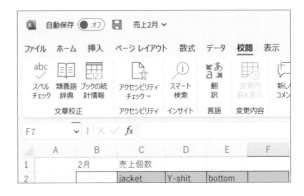

アクセシビリティに問題がある場合は、検査結果に問題箇所が表示されます。

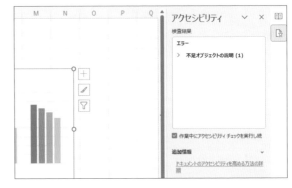

▶ ▶ **自分にあった作業環境を整えよう！**

クイックアクセスツールバーを設定する

　本書では、ここまでさまざまな機能を紹介してきました。人によって、よく使う機能はそれぞれかと思います。ここでは**クイックアクセスツールバー**でそれぞれがより効率的にExcelを使えるようになるカスタマイズ方法について見ていきます。

❶クイックアクセスツールバーを設定する

　Excelにはクイックアクセスツールバーといって、別のタブを開いていても、設定したツールをすでに表示させておき、そこをクリックすればすぐに使うことができる機能があります。しかし、最近のExcelでは通常の場合は非表示になっているので、まずは表示をさせる必要があります。なお、クイックアクセスツールバーはリボンの上に表示させるか、リボンの下に表示させるか選択することができます。

　クイックアクセスツールバーに追加したい機能を右クリックして、[クイックアクセスツールバーに追加]をクリックして追加します。

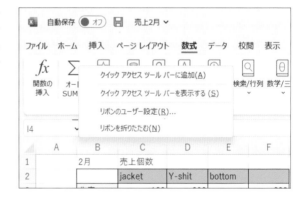

　右クリックメニューの[クイックアクセスツールバーを表示する][クイックアクセスツールバーを非表示する]をクリックして、表示と非表示を切り替えられます。

▶▶ PowerPointやWordにExcelのデータを使いたい！ という方に

作成した資料をPowerPointや Wordで活用する

PowerPointでのプレゼンやWordのドキュメントにExcelでまとめた確かなデータを活用するとより説得力のある内容になります。ここでは外部のアプリケーションでExcelのデータを活用する方法について見ていきます。

❶PowerPointで活用する

Excelで作成した表やグラフはほかのOfficeソフトでも活用できます。PowerPointの場合は、表やグラフを選択してコピーし、貼り付けるだけで問題ありません。しかし、表に設定した書式はコピーできないので、あらためてPowerPoint上で設定する必要があります。

Excel上で作成した表のセル全体、またはグラフを選択した状態でコピーします。

PowerPointで貼り付けを行います。表の場合は設定した書式は引き継がれない点に注意しましょう。

❷ Word で活用する

Excelで作成した表やグラフはほかのOfficeソフトでも活用できます。PowerPointの場合は、表やグラフを選択してコピーし、貼り付けるだけで問題ありません。しかし、表に設定した書式はコピーできないので、あらためてPowerPoint上で設定する必要があります。

Excel上で作成した表のセル全体、またはグラフを選択した状態でコピーします。

Wordで貼り付けを行います。

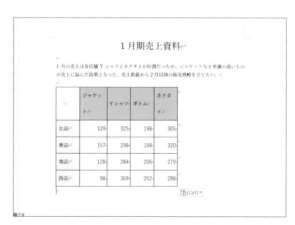

<table><tr><td>Tips</td><td>図として貼り付ける</td></tr></table>

表を貼り付ける場合、書式が崩れてしまうことはどうしようもありません。しかし、書式を崩さずに貼り付けられる裏技的なテクニックがあります。表を図（画像）として貼り付けてしまうのです。そうすることで、PowerPointやWordで書式を崩さずに貼り付けられるのです。しかし、貼り付けたあとに表の数値や文字を編集できない点に注意しましょう。

▶▶ビジネスで使えるショートカットキー集

Ctrl + S	ファイルの上書き保存
Ctrl + Z	直前の操作を元に戻す
Ctrl + Y	元に戻した操作をやり直す
Ctrl + C	選択したセルをコピーする
Ctrl + V	コピーした内容を貼り付ける
Ctrl + X	選択したセルを切り取る
Ctrl + D	選択した範囲の中で、いちばん上の行からいちばん下までコピーして貼り付ける
Ctrl + R	選択した範囲の中で、いちばん左の列からいちばん右までコピーして貼り付ける

Ctrl + Shift + 6	セルに外枠の罫線を引く
Ctrl + B	太字の書式設定をする
Ctrl + I	斜体の書式設定をする
Ctrl + U	下線の書式設定をする
Ctrl + 5	取り消し線の書式設定をする
Ctrl + N	新しいブックを作成する
Ctrl + W	選択しているブックを閉じる
Ctrl + Page Up	前のワークシートを表示する
Ctrl + Page Down	次のワークシートを表示する
Shift + F11	新しいワークシートを挿入する
Alt + F1	現在の範囲からグラフを作成する
Alt + F4	Excelを終了する
Alt + Enter	セル内で文字を改行する

おわりに

　本書を最後まで、お読みいただき誠にありがとうございます。

　本書は、あらゆるExcel仕事に共通して求められる基本知識を中心に
扱ってきました。1回読んだだけでは理解が不十分なところは何度も繰
り返し読み、実践を繰り返してみてください。そうすることで、1つ1
つのテクニックがあなたの確かな力になっていきます。
　とはいえExcelの機能は膨大であり、本書では紹介しきれなかった機
能がまだまだたくさんあります。必要に応じて、ほかの書籍やWebな
どで知識をを身に付けていきましょう。以下の書籍は私がオススメした
い書籍の一部になります。参考にしてみてください。

■オススメの書籍
- 『Excel 最強の教科書［完全版］【2nd Edition】』藤井 直弥、大山
  啓介　SBクリエイティブ刊
  Excelをビジネスにフル活用するためのノウハウが詰まった1冊です。
  ビジネスでExcelを活用するなら覚えておきたい実践的なテクニック
  が満載です。

- 『手順通りに操作するだけ！　Excel基本＆時短ワザ［完全版］第2
  版』国本 温子　SBクリエイティブ刊
  目的別でExcelのテクニックを詳細な手順で紹介しています。操作を
  1つ1つ丁寧に紹介しているのでExcelに自信のない方は是非ご一読
  ください。

- 『Excelを思い通りに使う本』川西 晴　SBクリエイティブ刊
  Excel仕事中にある「困った」を解決するために活用したい1冊です。
  コンパクトなボリュームで手軽に読める必携の書です。

　ところで、本書をご購入いただいたあなたはExcel以外にも身に付け
なければならないことが多くあるでしょう。スケジュールの管理、プレ
ゼンスキル、あなたが従事する業務の専門的な知識など様々あるでしょ
う。

それらすべてに共通して言えることとして「基礎から線を描きながら学習していく」ということが大切です。何事も断片的な知識では、発揮できる力に限界があります。しっかりと基本から丁寧に理解を進めていくことで、様々なタスクに応用できる能力が身に付くでしょう。

　AIの急速な発展や、新技術の登場など、目まぐるしく変わる社会の中で、あなたはより一層多様なスキルの習得が求めらていきます。超高速の変化の中で、プロフェッショナルなスキルを身に付けられる人材で居続けるということが非常に大切です。あなたが今回、Excelの学習をはじめようと立ち上がった気持ちを持ち続け、あらゆることにチャレンジしていってください！

　もう１つ、私がExcel仕事について皆さんにお伝えしたいことは、何を成すためにExcelを使っているかという目的意識を失ってはならないということです。
　仕事に忙殺され、目の前の仕事をこなすだけになってしまいそうなときこそ、ひと呼吸おいて「現在着手している仕事の目的は何か」を考えてください。

　目的を整理してない状態で仕事を進めることは大変危険な行為です。目的を見失ってしまうと、求められている成果物ではないものを作り上げてしまう恐れがあります。このようなことは、あなたにとってもあなたの周りのメンバーにとっても損失でしかありません。ゴールを明確に決め、目指していくからこそ、しっかりとした成果が生まれます。もし、ゴールがわからなくなったときがあれば、周囲の人に助けを求めるのも方法の１つです。これはExcelの仕事だけでなく、物事全般に言えることでしょう。

　最後になりますが、本書の執筆にご協力いただいた関係者の皆様、解説内容についてアドバイス頂いた川西 晴先生に心より感謝申し上げます。本書を形にできたことは私にとって、最高の喜びであり、大きな自信となりました。

2023年3月　著者

▶▶ 索引

▶▶ 索引

index

本書の注意事項

・本書に掲載されている情報は、2023 年 3 月現在のものです。本書の発行後に Excel の機能や操作方法、画面が変更された場合は、本書の手順どおりに操作できなくなる可能性があります。

・本書に掲載されている画面や手順は一例であり、すべての環境で同様に動作することを保証するものではありません。利用環境によって、紙面とは異なる画面、異なる手順となる場合があります。

・読者固有の環境についてのお問い合わせ、本書の発行後に変更された項目についてのお問い合わせにはお答えできない場合があります。あらかじめご了承ください。

・本書に掲載されている手順以外についてのご質問は受け付けておりません。

・本書の内容に関するお問い合わせに際して、お電話によるお問い合わせはご遠慮ください。

著者紹介

星野 悠貴（ほしの ゆうき）

新卒で入社した会社にて、Excel でデータの管理業務に携わる。

入社当初は Excel の使い方がわからず、超非効率な仕事の進め方で心身ともに消耗する。

趣味の時間を確保するために、Excel を中心に様々なアプリケーションの使い方を研究し始める。

いまや趣味の時間を確保するために行っていたアプリケーションの研究が一番の趣味となった。

・**本書へのご意見・ご感想をお寄せください。**
URL：https://isbn2.sbcr.jp/19015/

上手に時短できる　Excel 仕事の教科書

2023 年　3 月 31 日　初版第 1 刷発行

著者	…………………………	星野 悠貴
発行者	…………………………	小川 淳
発行所	…………………………	SB クリエイティブ株式会社
		〒106-0032 東京都港区六本木 2-4-5
		https://www.sbcr.jp/
印刷・製本	………………	株式会社シナノ
カバーデザイン	………	上坊 菜々子

落丁本、乱丁本は小社営業部（03-5549-1201）にてお取り替えいたします。

Printed in Japan ISBN **978-4-8156-1901-5**